suhrkamp taschenbuch 1080

Als André Kaminskis erstes Buch erschien, nannte man ihn einen »blendenden Geschichtenerzähler«. In den *Gärten des Mulay Abdallah* erzählt er von seinen Jahren in Afrika.
Sein neues Geschichtenbuch bestärkt diese Einschätzung: als sei die Jugendzeit erst gestern gewesen, so blank und lückenlos tauchen die Erinnerungen auf. Es ist die Zeit der Verachtung, als die Weltgeschichte zum Schicksal jedes Einzelnen wurde. »Hitler fraß Europa auf«, und selbst in der friedvollen Schweiz drängten sich Eiferer vor, die Juden und Linken mit Vernichtung drohten. Doch selbst derart unmißverständliche Aussichten sind nicht instande, auch nur eine dieser Geschichten zu verfinstern. Lea, dieses zauberische Geschöpf, trotzt dem »Gauleiter«; das Fahrrad, blinkendes Symbol für Flucht, überstrahlt den Auszug aus einem gelobten Land. Niederlage, Schuldbewußtsein, Melancholie oder Resignation kommen nicht an gegen Kaminskis Witz und Ironie. Wer immer hier auch wagt, ein Held sein zu wollen – sei es kraft seiner Intelligenz oder seiner Mannbarkeit, seiner Herkunft oder seiner politischen Ideale –, bei leisester Berührung wird er durchschaut. Da kennt der Erzähler keinen Pardon, und erst recht nicht mit sich selbst. Nur die Heldinnen scheint er zu verschonen, die sinnesbetörenden Schönen der frühen Jahre, in seinen Geschichten, die wilde Träume sind.

André Kaminski

Herzflattern

Neun wilde Geschichten

Suhrkamp

Umschlagmotiv: Erich Plöger

suhrkamp taschenbuch 1080
Erstausgabe
Erste Auflage 1984

Satz: Wagner GmbH, Nördlingen
Druck: Nomos Verlagsgesellschaft, Baden-Baden
Printed in Germany
Umschlag nach Entwürfen
von Willy Fleckhaus und Rolf Staudt

2 3 4 5 6 – 89 88 87 86 85

Inhalt

Das Los der Losverkäuferin

Armin ist ein romantischer Name. In Moll wie die Geschichte, die ich erzählen will. Er hieß Armin Rotbart und beschloß seinen Lebensweg dort, wo er ihn begonnen hatte: auf der Bühne. Er spielte gerade den Wallenstein. In Dresden. Als Dresden noch Dresden war und man verdienten Künstlern den gebührenden Beifall zollte. Ich denke einen langen Schlaf zu tun – hauchte er mit gebrochener Stimme. Dann zog er sich in seine Gemächer zurück und starb. Als Wallenstein fürs Publikum. Als Armin Rotbart für seine Familie. Er hinterließ eine Frau und zwei Söhne.
Wie konnte er nur. Ein Hofschauspieler, dem die Frauen zujubelten. Die Männer ebenfalls, aber anders. Er hatte einen majestätischen Gang. Die Augen zog er hoch, als wollte er weit mehr sagen, als er sagte. Und dann diese Stimme. So etwas zwischen Schmelz und Schmalz. Eine rücksichtsvolle Bescheidenheit lag in seinen Bewegungen. Verzeihen Sie, daß ich so köstlich bin – schien er zu sagen. Aber er sagte es nicht, und das war eben das Einmalige. Wie konnte er nur diese Person heiraten, frage ich mich und bin nicht der einzige, der das wissen möchte. Sie muß einmal besser ausgesehen haben, aber ein gewisses Maß an Häßlichkeit darf man auch im Alter nicht überschreiten. Sie überschritt es in jeder Hinsicht. Sie dampfte durchs Leben wie eine Lokomotive. Unförmig, verschwitzt und immer beleidigt: Barone haben sich um mich bemüht und Millionäre, aber ich entschloß mich für Rotbart. Obwohl er kein

Geld hatte. Sie war voll Großmut: besser ein Komödiant als ein Banause, pflegte sie zu seufzen, und dann ist er mir weggestorben. Allein hat er mich gelassen und mittellos. Aber ich heirate kein zweites Mal. Nicht nach solch einem Mann. Niemals! – Es hat sich auch keiner gemeldet, unter uns gesagt, und Frau Rotbart wurde nie die Genugtuung zuteil, jemandem einen Korb zu geben. Ich vermute, daß sie das mehr kränkte als alles andere.

Zwei Söhne. Der Ältere war dünn wie ein Bleistift und hieß Konrad. Er blickte beiseite und wurde rot. Er malte Bilder von erschreckender Ähnlichkeit. Nackte Frauen, die auf schwarzen Rossen durch den Wald sprengen. Ich wette, daß er nie eine nackte Frau gesehen hat – ich meine aus der Nähe und mit ihrem Einverständnis. Der liebe Gott hatte auch keine gesehen, und trotzdem schuf er das Weib. Aus dem Kopf, wenn man so sagen darf. Aus purer Einsamkeit. Die Frauen, die Konrad pinselte, waren peinlich. Ich kann es nicht anders ausdrücken. Aus tiefster Seelennot waren sie entstanden, und das sah man ihnen an. Eine morgenrote Haut, kornblondes Haar und wasserblaue Augen. Jedes Äderchen konnte man erkennen. Jede Wimper auf dem Körper. Sie blickten einen an, diese Frauen, und schienen zu schwitzen. Armer Konrad! Mit gotischen Buchstaben unterschnörkelte er jedes seiner Werke, und dazu noch auf lateinisch: Rotbart pinxit. Nebenbei war er Hilfsmagaziner im Gummihaus Troxler.

Der Jüngere hieß Kurt. Er war dick und gedunsen. Er besaß eine quarkähnliche Haut mit Rostflecken darauf. Das Schlimmste jedoch war die feurige Mähne, die um seinen Schädel flatterte. Er atmete schwer, denn die Na-

senflügel waren zu eng. Er schnappte nach Luft – unaufhörlich – und sann auf Vergeltung.
Von seinem Vater hatte er ein einziges Erbstück. Es prägte seinen Charakter: Karl Mays Sämtliche Werke. Er kannte sie auswendig. Er war Winnetou und Old Shatterhand in einer Person. Alle Vokabeln der Indianersprache hatte er herausgeschrieben. Schnaubend warf er sie seinen Widersachern an den Kopf. Ita ken Saritsch – zischte er, wenn er einem begegnete, was etwa bedeutete, daß man ein Hund sei oder ein elender Köter. Wir alle waren seine Feinde, und er war stolz darauf. Ein heißer Haß erfreute ihn mehr als eine laue Freundschaft.
Bei alledem war er ein Genießer. Ein Genicßcr besonderer Art. Er genoß seine Leiden, seine Verlassenheit, sein Fett, sein rotes Haar und die unmögliche Mutter. An der Mutter litt er am meisten. Hochmütig blickte sie auf uns herab. Sie nannte uns Kuhschweizer und sprach hochdeutsch. In Zürich ist das anstößig. Schlimmer als ein Buckel. Man verzeiht es vielleicht einem Botschafter. Einem Nobelpreisträger. Aber nicht der Frau Rotbart. Wer war sie eigentlich? Lotterielose verkaufte sie hinter dem Bahnhof und tropfte aus der Nase. Ein perfektes Ärgernis.
Kurt ging mit uns zur Schule. Er war einmal sitzengeblieben, aber blöder als seine Kameraden war er bestimmt nicht. Keiner hätte gemerkt, daß er ein Deutscher war, doch er pflegte dieses Gebrechen mit liebevoller Sorgfalt. Absichtlich ließ er Floskeln fallen, die wir nicht recht verstanden, und unsere Verlegenheit ergötzte ihn. Dabei war er der Letzte in der Schule und so muskelschwach, daß ihn David Lichtenbaum k. o.

boxte. David Lichtenbaum war nur halb so schwer wie Rotbart, aber er legte ihn auf den Rücken.
Was rede ich so viel. Rotbart störte unsere Kreise. Er sagte zum Beispiel: »Wenn ich mich nicht täusche« oder »Laßt euch das gesagt sein« oder »Dieses sei dahingestellt«. Wo hatte er nur diese Worte her? Und mit welchem Recht belästigte er uns damit? Wir empfanden diese Redensarten wie Salzsäure ins Gesicht. Wir schrieben sie nicht seiner Bildung zu – Herr Müller persönlich hatte ihn ja zum Klassentrottel ernannt –, sondern seiner Unverschämtheit: So sind sie, diese Deutschen, pflegten wir zu sagen, und wir prophezeiten, daß er ein jämmerliches Ende nehmen würde.
Ich muß noch hinzufügen – weil es von Bedeutung ist für meine Geschichte –, daß Rotbart ein Sammler war. Ein Sammler aus Berufung. Darüber hinaus litt er an Verstopfung. Er bewahrte alles auf, was ihm nur im entferntesten ungewöhnlich schien. Sogar den Inhalt seiner Gedärme. Wenn er hinaus mußte, ging er nicht. Zwei tiefe Furchen bildeten sich über seiner Nasenwurzel, doch er biß die Kiefer aufeinander und verharrte. Mit Befremden beobachteten wir, wie er schwelgte in seinen Schmerzen. Wir sahen, daß er sich quälte, doch es war offenbar, es erquickte ihn. Er blickte über uns hinweg. Er fühlte sich geadelt durch seine Pein. Sie bestätigte ihm, daß er jemand war. Er fühlte sich emporgehoben durch alles, was er hatte und wir nicht.
Er sammelte Exklusivitäten. Sie waren äußerst possierlich, das muß ich zugeben. Aber keiner von uns wäre auf den Gedanken gekommen, so etwas besitzen zu wollen. Stirnlocken oder Glasaugen großer Männer. Giftdosen von hervorragenden Persönlichkeiten. Armbrüste. To-

mahawks mit Blutspuren. Totenschädel sowie Unterwäsche berüchtigter Frauen, deren Name allein schon Gänsehaut verursachte. Die Gegenstände waren vollkommen unnütz. Sie hatten weder Tausch- noch Nutzwert, und doch verdroß es uns, daß er sie besaß. In Mathematik war er eine Null. Seine Orthographie setzte sich über alle Regeln hinweg. Herr Müller erklärte, er sei ein Sargnagel und er habe soviel Haar auf dem Kopf, daß da nichts reingehe und nichts rauskomme. Dabei büffelte er, dieser Sargnagel. Tag und Nacht. Aber Kauzigkeiten, für die es keine Nachfrage gab. Die Apachensprache, wie ich bereits andeutete. Oder Wappenkunde. Oder – wie nannte er das doch? – Wahrscheinlichkeitsrechnung. Wenn wir ihn fragten, zu welchem Zweck er das lerne, antwortete er: »Wenn es einen Zweck hätte, würde es mich nicht interessieren.« Mit solchen Schlaksigkeiten stimmte er uns gegen sich. Wir fanden das unschweizerisch. Entweder etwas hat einen Zweck oder Schwamm drüber. Erst später erfuhren wir, daß auch er nicht ganz uneigennützig war. Er war nämlich zum Schluß gelangt, daß seine Mutter bei sich selbst ein Lotterielos kaufen müßte, und hatte errechnet, daß die Endziffer 77 die größten Gewinnchancen besaß. Das kalkulierte er mit seiner Wahrscheinlichkeitsrechnung, und der Erfolg war sensationell. Aber darüber später.

Er wohnte im selben Haus wie ich, und nicht selten stieg ich hinauf in seine Mansardenwohnung. Ich hatte viel Zeit in jenem Alter, und mir schien Rotbarts Privatmuseum noch das Spannendste, was es zu erleben gab. Die Losverkäuferin sperrte auf. Einen Spalt breit. Und hoffte wahrscheinlich, es sei der Fürst von Monte Carlo.

Wenn sie mich erblickte, verzog sie geringschätzig die Unterlippe und knurrte, Kurtchen sei unabkömmlich. Er sitze in seiner Bibliothek und studiere. Unabkömmlich! Da hatte sie mir eins ausgewischt. Einen Peitschenhieb übers Ohr. Ich kochte: weder rechnen kann er, noch schreiben, aber in seiner Bibliothek sitzt er und studiert. Langsam stieg in mir die Lust auf, ihn auszuradieren. Er stand mir vor der Sonne. Warum eigentlich, frage ich mich heute. Ganz einfach. Ich war neidisch auf ihn. Seine Mutter verkaufte Lotterielose hinter dem Bahnhof. Sie trug wollene Handschuhe und tropfte aus der Nase. Im Vergleich mit mir war Kurtchen ein Niemand. Und trotzdem war ich eifersüchtig auf ihn. Ich weiß auch, warum. Weil ich mich langweilte und er sich nicht. Er hatte seine Leidenschaften. Ich hatte keine. Und eines Tages fand ich heraus – oder meinte wenigstens, herausgefunden zu haben –, daß er von den gleichen Brüsten träumte wie ich. Von den wuchtigen Kurven einer unvergleichlichen Erscheinung namens Bella Lichtenbaum. Sie wohnte gegenüber. Jeden Abend zog sie sich aus. Immer zur gleichen Zeit. In ihrem Mädchenzimmer mit türkisblauen Tapeten und gelbseidenen Vorhängen, durch die man hindurchsehen konnte. Genußvoll und pedantisch entkleidete sie sich vor dem Spiegel. Dann machte sie Toilette. In einer geblümten Porzellanschüssel. Jeden Abend um Viertel vor acht. Ausgerechnet, wenn man sich bei uns zu Tische setzte. Wir waren feine Leute. Bei uns speiste man zu fixen Zeiten. Im Unterschied zu den Rotbarts, wo man überhaupt nicht speiste. Man verköstigte sich, und zwar schlecht. Weil kein Geld da war. Kurtchen konnte sich zu Tisch setzen, wann er nur wollte. Er durfte auch

hinterm Vorhang stehen, hinüberspähen und später essen. Darum beneidete ich ihn über alle Maßen.
Kurt Rotbart feierte seinen dreizehnten Geburtstag. Ein Unglücksdatum, wie er sagte, und darum habe er alle seine Feinde eingeladen. Frau Rotbart hatte eine Schürze umgebunden. Sie servierte vorgestrige Schokoladentorte – Altbackenes nannte man das und holte es in der Bäckerei Fuchs an der Waffenplatzstraße. Die Torte war schief und verbeult. Mit bröckliger Sahne darauf. Rotbarts Bruder, der schüchterne Konrad, schenkte Kaffee ein, der nach Schmierseife schmeckte und Asphalt. Wir zwinkerten uns zu – mit kennerischen Blicken – und sagten uns später, die Rotbarts seien nicht nur häßlich, sondern auch geizig. In Wirklichkeit mußten sie sich durchhungern. Mit den Groschen aus dem Losverkauf und Konrads kargem Arbeitslohn. Nach der Schokoladentorte gab es nichts mehr zu feiern. Die Kollegen verabschiedeten sich, einer nach dem andern, und jedesmal mußte Kurtchen hinuntersteigen, denn die Haustür in schweizerischen Mietshäusern ist meist zugesperrt. Ich blieb als letzter. Ich wohnte im selben Haus. Zum ersten Mal befand ich mich allein in Rotbarts Kuriositätenkabinett. Fieberhaft schnüffelte ich herum, denn ich vermutete, daß er ein Geheimnis hatte. Er hatte eins. In der Schublade seines Nachttischchens. Ein winziges Ölbild, nicht größer als eine Postkarte. Eine kunstvolle Miniatur, die mir die Atemwege blockierte: die unvergleichliche Bella Lichtenbaum. Nackt vor dem Spiegel. Von hinten sichtbar und von vorn. Das Haar bis zu den Hüften. Die Hand mit dem Waschtüchlein zwischen den Oberschenkeln. Daneben die Porzellanschüssel und davor ein hauchdünner, gelbseidener Vor-

hang. Ein Bad der Aphrodite in übernatürlicher Ähnlichkeit. Darunter stand in schamhaft-brünstiger Gotik: Rotbart pinxit. Da war keine Sekunde zu verlieren. Ich würde später noch Zeit finden, das Bild zu bestaunen. Jetzt griff ich danach und ließ es in meinem Hemd verschwinden. Das war die Zeitbombe, mit der ich Kurtchen aus dem Weg räumen würde. Früher oder später.

Meine Träume waren Schäume. Aber doch nicht so aussichtslos wie diejenigen Rotbarts. Was ich mir in unruhigen Nächten ausmalte, konnte nie Wirklichkeit werden. Für Bella war ich Gemüse, weniger als das. Ich hatte gerade den Stimmbruch und lächerlichen Flaum über der Oberlippe. Aber um wieviel geringer waren die Chancen des Sargnagels! Daß er nach ihr dürstete, war an sich schon eine Ungehörigkeit. Dieser Kerl kompromittierte meine Sehnsucht. In solcher Gesellschaft durfte ich gar nicht erst mitmachen. Bella sank im Marktwert, wenn so ein Monstrum von ihr träumte. Ich mußte ihn ausschalten.

Die Gelegenheit bot sich noch im selben Frühjahr, am sogenannten Sechseläuten, das mein Vater als eine Heerschau von Wasserköpfen, einen Aufmarsch von Neandertalern und reaktionären Pfahlbauern bezeichnete. An diesem Fest wird in Zürich der »Böögg« verbrannt, und zwar in Form eines gigantischen Schneemanns aus Holz, Draht und Watte, der den Winter versinnbildlicht. Kopf, Rumpf und Hut sind mit Schwarzpulver vollgestopft. Wenn die Sprengmischung Feuer fängt – das passiert kurz nach sechs Uhr abends –, fliegt der Böögg in die Luft. Die Glocken läuten und, so behaupten die reaktionären Pfahlbauern, der Winter ist besiegt.

Mein Vater war da anderer Meinung. Er war immer anderer Meinung und erklärte, der Winter sei erst dann besiegt, wenn das vereinigte Weltproletariat – solchen Quatsch konnte er ernsthaft von sich geben – den Kapitalismus in Stücke schlägt. Nicht früher und nicht später, Punkt.
In jenem denkwürdigen April wurde der Böögg nicht verbrannt. Zum ersten Mal seit der Erschaffung der Welt, denn der Schneemann war verschwunden. Einfach so. Am Vortag hatte ich ihn noch gesehen. Mit eigenen Augen. Auf dem Tonhalleplatz, wo er immer zu stehen pflegt. Er steckte auf einem fünfzehn Meter hohen Scheiterhaufen. Das Ganze so groß wie ein mittlerer Kirchturm, und der war weg. Ein beispielloser Skandal. Ein Vorzeichen des nahenden Weltuntergangs. Sie haben ihn gestohlen – ging es von Mund zu Mund – unter der Nase der Stadtpolizei. Immer dreister führen sie sich auf, diese Lumpen! Ich war noch zu jung. Ich wußte nicht, wer mit den Lumpen gemeint war, aber bald sollte ich es erfahren: die Deutschen, natürlich, oder die Kommunisten, die nicht weniger verhaßt waren. Herr Müller stellte sich vor die Klasse. Ich glaube, es war in der Turnhalle, denn Turnhallen eignen sich besonders zu patriotischen Höhenflügen. Sein Gesicht war gerötet von Wein und ungezügeltem Ingrimm. Er schnaufte, pustete und plötzlich platzte er: »Sie mißgönnen uns die Schweizerfahne, diese Versager. Weil wir tüchtiger sind. Weil wir es besser können.« Er sagte nicht was, aber er meinte alles und verzog seinen Mund zu einer vieldeutigen Grimasse. »Alles machen wir besser und darum können sie uns nicht ertragen. Sie sind neidisch auf unsere Uhren, weil die genauer sind. Auf unseren Käse,

weil er besser schmeckt, und auf unsere Frauen, weil sie mehr Dampf aufsetzen, sowohl im Bett als auch in der Küche.« Jetzt hatte er uns warmgewiegelt. Gänsehaut lief uns über den Rücken, und wir konnten es nicht erwarten, dem hinreißenden Mann eine Ovation darzubringen. Wir waren bereit, unser Leben herzugeben für unsere Uhren, unseren Käse und unsere Frauen, doch Herr Müller brüllte weiter: »Diese Bockwürste – damit meinte er die Deutschen – werden es bereuen, denn wir fressen sie auf. Ungekocht, so wahr ich hier stehe, und ohne Bier.« Schon wollten wir applaudieren, aber er fügte hinzu: »Und ohne Wodka.« Jetzt wurde es ernst, denn er meinte mich. Bisher hatte er nur gegen Rotbart gewettert, ohne seinen Namen zu nennen. Aber der Wodka galt mir. Das war gefährlich. Lebensgefährlich sogar. Ich machte mich klein und unauffällig. Niemand sollte mich bemerken. Die Anspielung mußte unbemerkt verklingen, und Rotbart half mir dabei. Er streckte die Hand hoch. Im ungeschicktesten Augenblick, als ein vaterländischer Taumel die Klasse ergriffen hatte. Nie zuvor hatte er sich gemeldet. Er war ein Passivmitglied unseres Jahrgangs. Ausgerechnet jetzt drängte er sich vor, dieser Tölpel. Er verblüffte uns mit seinem Vorwitz, der alles Bisherige in den Schatten stellte: »Es ist doch kurios – piepste er unschuldig, wobei er bewußt diesen Ausdruck wählte, der nicht in unserem Vokabular figurierte –, äußerst kurios, daß die Schweizer so tüchtig sind, aber nicht verhindern konnten, daß ihnen der Böögg gestohlen wurde.«
Nach diesen Worten setzte er sich auf den Linoleumboden, verschränkte die Arme über dem Bauch, blickte

zum Fenster hinaus und gab zu verstehen, daß er nichts mehr hinzuzufügen habe.
Das war ein Tiefschlag. Perfid und scharfsinnig. Alles hatten wir erwartet, aber das nicht. Der Rothaarige war in die Offensive gegangen. Jahrelang hatte er das Opfer gespielt, wortlos gelitten, auf einen Umschwung des Schicksals gehofft. Und nun war es soweit. Die Nazis hatten ihm den Rücken gestärkt. Er wurde unverschämt. Vielleicht wußte er mehr als wir. Daß die Wehrmacht bald einmarschieren würde. Daß wir bereits auf der Abschußliste standen. Daß er – alles ist möglich – Gauleiter werden sollte und daß uns die Deutschen zu ihren Unterhunden machen würden. Aber das könne er sich aus dem Kopf schlagen, kreischte Herr Müller, im Vergleich mit England und Frankreich sei Deutschland ein Kuhdreck, jawohl. Rotbart möge es nur ausrichten auf seinem Konsulat. Wir Schweizer hätten keine Angst. Bei Sempach und Morgarten seien wir auch nicht davongelaufen, obwohl die Deutschen zehnmal so stark waren. Im Gegenteil. Zusammengeholzt haben wir sie damals. Kurz und klein, jawoll, und wenn es jemandem nicht gefällt bei uns, soll er die Koffer packen und verreisen!
Das war eine Konzertarie. So etwas blähte unsere Herzen. Wir erhoben uns und klatschten fünf Minuten lang Beifall. Ich ganz besonders, weil ich ein schlechtes Gewissen hatte. Wegen dem Böögg, den vielleicht meine Gesinnungsfreunde gestohlen hatten. Bei mir zu Hause war man rot. Mein Vater machte kein Geheimnis daraus. Darum war ich nicht minder betroffen als Rotbart. Herr Müller nahm den Zwicker von der Nase und wischte ihn ab. In der Hitze des Gefechtes war er ihm

angelaufen. Mit einem Lederläppchen putzte er seine Gläser, während wir nicht aufhörten zu applaudieren. Stehend natürlich. Nur Kurtchen blieb sitzen. Mit gekreuzten Armen, vorgeschobener Unterlippe und zusammengekniffenen Indianeraugen. Er spähte in die Ferne wie einstmals sein Vater, als er den Wallenstein spielte. Das reizte den Lehrer zur Siedehitze. Er stürzte sich auf Rotbart, packte ihn beim Kragen, schüttelte ihn und brüllte mit bellend sich überschlagender Stimme: »Wenn ihr bis nächsten Montag – das war ein formelles Ultimatum – den Böögg nicht zurückerstattet, marschieren wir über die Grenze und holen ihn selbst. Sag das deinem Hitler und – mir schien, jetzt schiele er zu mir herüber – dem Stalin ebenfalls!«
Der Sargnagel tat keinen Wank. Er ließ sich rütteln und stoßen. Bleich saß er da, atmete asthmatisch. Doch er schwieg wie ein Held. Ich hingegen schlotterte. Die Anspielung war klar und unmißverständlich. Wir lebten zwar noch im tiefsten Frieden, doch zum ersten Mal merkte ich, daß es rauchte an der Lunte der Weltgeschichte. Daß ich mittendrin stand, verwickelt in die Auseinandersetzungen der Großmächte. Daß ich mich reinwaschen mußte, koste es, was es wolle. Es gab einen Verdacht, und den mußte ich abwälzen. Auf den ersten besten Sündenbock, der mir über den Weg lief: Rotbart. Der Gedanke kam mir während der Pause. Es war ein häßlicher Gedanke, und ich schäme mich seiner bis zum heutigen Tag. Ich beschloß nämlich, Kurtchen solle büßen für seine großdeutsche Aufgeblasenheit – für seine hochtrabenden Ausdrücke und die Verachtung, mit der er uns zu behandeln pflegte. Einverstanden. Das war nur ein Vorwand. In Wirklichkeit wollte ich ihn loswer-

den. Als Rivalen. Es ging nicht um Hitler, sondern um Bella Lichtenbaum. In meiner Schulmappe hatte ich die Miniatur. Das fatale Ölbild mit der Aufschrift »Rotbart pinxit«, wobei nicht gesagt war, welcher Rotbart es gemalt hatte. Das war mir auch ziemlich gleichgültig – damals –, und ich klaubte es hervor. Ich vergewisserte mich, daß ich allein war im Klassenzimmer, warf einen letzten Blick auf die göttliche Bella und legte es in die Zeitung, die auf Herrn Müllers Pult lag. Er würde sie aufschlagen. Während der nächsten Stunde. Wenn wir unsere Aufsätze schrieben. Das Unheil mußte hereinbrechen.

Es brach herein. Mit der Heftigkeit eines Wirbelsturmes. Herr Müller hatte darauf gewartet. Seit Monaten und Jahren. In ihm brodelte ein Vulkan, der einmal explodieren mußte. Er war ein stattlicher Mann. Keineswegs zu kurz gekommen. Weder an Kraft noch an Körperwuchs. Aber er war unbefriedigt. Nicht persönlich, sondern – wie soll man das ausdrücken – als Schweizer. Wenn es gerecht zuginge auf der Welt, seufzte er, wären wir eine Großmacht und die anderen hätten Angst vor uns. Wir haben den besten Staat, die saubersten Sitten, die zuverlässigste Industrie, nur sind wir eben zu klein, und das ist unser Kreuz!

Wenn Herr Müller so gewalttätig reagierte, an jenem Nachmittag, war das ein Akt der Vergeltung. Aber nicht für das Gemälde mit der nackten Bella Lichtenbaum. Auch nicht für die freche Bemerkung, die Rotbart hatte fallenlassen. Keineswegs. Es war einfach eine Abrechnung mit dem Schicksal, mit der geographischen Tragödie der Eidgenossen, mit der entwürdigenden Kleinheit unserer Verhältnisse. Darum genügten ihm auch seine

Fäuste nicht. Darum griff er zum Haselstock, den er bis zur totalen Erschöpfung auf Kurtchen niedersausen ließ.
– Der will uns zeigen, daß er uns was pfeift. Beleidigt uns mit abfälligen Sprüchen. Und jetzt diese Herausforderung. Beobachtet ein Mädchen aus dem Hinterhalt. Malt sie mit lüsternem Pinsel. Ohne ihre Einwilligung, selbstverständlich, und zuletzt hat er die Stirn und legt seine Schweinerei auf meinen Tisch. Das ist mehr als eine Herausforderung. Eine Kriegserklärung ist das. Wollte mal sehn, wie die Kuhschweizer sich verhalten, wenn man sie aus dem Busch klopft. Das wolltest du doch, ja oder nein?
Keine Antwort.
– Oder behauptest du, dieses Gepinsel sei nicht von dir? Hier steht es schwarz auf weiß, daß es von dir ist.
Dumpfes Schweigen.
– Vor meine Nase hast du es gelegt, um zu beweisen, daß euch schon alles erlaubt ist. Meinst wahrscheinlich, daß morgen nicht mehr der Müller euer Lehrer ist, sondern der Hitler. Und übermorgen zieht ihr uns die Hosen runter und malt ein Hakenkreuz auf unseren Arsch.
Bei jedem Satz haute er Kurtchen den Haselstock über den Rücken, bis die Splitter flogen. Kurtchen hatte ein weißes Hemd getragen. Jetzt war es purpurrot, denn der Schulmeister hatte ihn blutig geprügelt. Stumm saßen wir in unseren Bänken. Fasziniert und entsetzt zugleich. Wir schauten zu, ohne Skrupel noch Schuldgefühle. Wir jubilierten, daß er endlich bezahlen mußte. Jetzt hatte er die verdiente Strafe, dieser Wicht, der alles kurios fand. Auch ich war in Hochstimmung. Wenigstens einstwei-

len, denn ich war noch einmal davongekommen.

Wenige Tage später stand in der Zeitung – auf der ersten Seite und mit fetten Buchstaben –, daß eine gewisse Frau Rotbart, Losverkäuferin von Beruf und Mutter zweier Söhne, den Haupttreffer gewonnen hatte. Den ersten Preis der Zürcher Kochkunstausstellung, die das Volk wieder zur Feinschmeckerei verführen sollte, da die Leute angesichts der Wirtschaftskrise die Freude am Schlemmen verloren hatten. Kurtchen war zur Überzeugung gelangt – ich habe schon darüber berichtet –, daß seine Mutter das große Los gewinnen würde, wenn sie die Endziffer 77 zöge. Sie zog die Endziffer 77 und gewann. Das war unerhört und beängstigend. Eine Sonnenfinsternis. Ein Signal der Vorsehung – so schien es mir wenigstens –, daß die Sterne auf seiten der Deutschen standen. Ich wurde unsicher. Ich fragte mich, was weiter geschehen würde. Ich hatte ihn denunziert. Verraten. Ins Unglück gestürzt. Wenn er herausfände, daß ich der Judas war, daß ich ihn an den Henker geliefert hatte, würde er sich rächen. Schrecklich. Mit der Wahrscheinlichkeitsrechnung, höchstwahrscheinlich. Ich verbrachte qualvolle Tage. Das Gewissen nagte an meiner Leber. Jetzt war ich dran, denn inzwischen war herausgekommen, wer wirklich den Böögg gestohlen hatte. Meine Genossen. Die Kommunisten. An der Maidemonstration hatten sie ihn mitgetragen. Eine Trophäe von der Größe, wie schon gesagt, eines mittleren Kirchturms. Die Roten jauchzten vor Stolz. Die Neandertaler schäumten. So war es. Nicht Rotbart war schuld, sondern ich. Aber der Sargnagel schwieg. Er beteuerte nicht einmal seine Unschuld. Vielleicht hatte Rotbart auch das Bild nicht gemalt. Alles schien mir jetzt möglich. Ein Rotbart mußte es gewesen sein, aber nicht unbedingt Kurtchen. Ich halluzinierte. Konnte nicht schlafen. Zitterte vor Schuldgefühlen. Ganz im Gegensatz zu unserem Lehrer, für den alles einfach war. Er bestellte Herrn Lichtenbaum zu sich, einen jüdischen Kaufmann mit Glatze und Bauch, den Vater der vielbegehrten Bella und des kleinen David, der Rotbart mit einer Hand auf den Rücken legte. Auch Kurtchens Mutter ließ er kommen. Die Losverkäuferin mit dem Tropfen an der Nase. Die beiden hatten keine Ahnung, was sie erwartete, doch sie erschienen pünktlich und setzten sich vor Herrn Müller, der betriebsam in seinen Akten fummelte. Er war ein Lehrer bis ins Rückenmark. Ein Schweizer, der keine langen Umschweife machte. Er kam sofort zur Sache und sagte, es tue ihm leid, daß Fräulein Lichtenbaum unfreiwillig zum Opfer einer Entehrung geworden sei. Bei dieser Formulierung lockerte der Vater seine Krawatte, und Herr Müller fuhr fort, das unschuldige Mädchen sei im Zustand völliger Nacktheit zu Papier gebracht, hinterlistig mißbraucht und mit dem Pinsel geschändet worden. Dieser Ausdruck bleibt mir unvergeßlich: »mit dem Pinsel geschändet«. Herr Lichtenbaum rieb verlegen an seinem Hosenknie. Frau Rotbart starrte zum Fenster hinaus, und der Schulmeister schloß mit pathetischem Nachdruck, er kenne den Täter. Man werde die nötigen Maßnahmen ergreifen. Dabei legte er die Miniatur auf den Tisch und wischte den Dunst von seinen Gläsern.

Da lag es nun, das Corpus delicti. Weder der Kaufmann noch die Losverkäuferin hatten den Mut, es in die Hände zu nehmen. Herr Lichtenbaum musterte es aus

der Entfernung. Er schob die Unterlippe vor und überlegte. Frau Rotbart schien unbeteiligt, als ginge sie die Sache nichts an. Totenstille. Eine Ewigkeit. Doch plötzlich räusperte sich Herr Lichtenbaum. Er wandte sich zu Kurtchens Mutter und sagte: »A Kawalier is er nich, Ihr Sohn, aber pinseln kann er.« Darauf zog er seine Brieftasche hervor und fragte: »Wos soll das Bild denn kosten?«
Frau Rotbart saß da wie vom Blitz getroffen. Erst jetzt begann sie zu begreifen. Ein schrecklicher Gedanke dämmerte in ihrem Herzen. Sie ergriff die Miniatur. Ihre Augen wurden rund und runder. Sie prüfte die Unterschrift und verstand: Rotbart pinxit. Das schleckte keine Ziege weg. Ihr Sohn war ein Sittenstrolch. Sie erhob sich majestätisch von ihrem Sessel. Sie zupfte die Wollhandschuhe von ihren Fingern, zögerte einen Augenblick und warf sie Lichtenbaum vor die Füße: »Ab Sonntag bin ich reich – sprach sie mit der Grandezza einer Hofschauspielerin –, ich habe nicht nötig, die Werke meiner Söhne zu verschachern.« Hochmütig wandte sie sich der Tür zu, doch kehrte sie noch einmal zurück: »Und Sie, Herr Müller, sind ein Kacker. Ich spucke Ihnen ins Gesicht, denn jetzt kann ich mir's leisten.«
Sie tat's und verließ den Raum. Der Lehrer nahm ein Taschentuch und wischte die Beleidigung fort. Herr Lichtenbaum verabschiedete sich, ein diskretes Lächeln auf den Lippen. Er konnte zwar nicht hochdeutsch, aber er hatte Sinn für Humor.
Am darauffolgenden Sonntag fuhr ich nach Örlikon hinaus. Zur Kochkunstausstellung, wo die Preise zur Verteilung gelangten. Man wußte noch nicht, was für

Preise, doch eines stand fest: Kurtchens Mutter bekam den ersten. Heute sollte sie reich werden. Den verdienten Triumph erleben, und da mußte ich dabei sein. Ich wußte bereits, daß nicht Kurtchen den Böögg gestohlen hatte. Ich ahnte auch, daß nicht er das Bild gemalt hatte, sondern sein Bruder. Ich war ein Schuft. Ich hatte die Miniatur auf Herrn Müllers Tisch gelegt. Das war eine ganz üble Gemeinheit. Durch nichts ließ sie sich entschuldigen, auch nicht durch den Haß gegen die Nazis. Da war Rotbart aus besserem Holz. Er versuchte nicht einmal, den Verdacht von sich zu schieben, den Schuldigen beim Namen zu nennen, seinen Bruder Konrad zum Beispiel oder weiß der Kuckuck wen. Ich mußte mich rehabilitieren. Irgendwie. Darum fuhr ich hinaus, um zu beweisen, daß ich ein Freund war. In schlechten Zeiten und in guten. Eine Blechmusik plärrte, Luftballons wurden verteilt. Es roch nach Bratwurst und penetranten Parfüms. Aufreizende Damen drängten in den Saal. Kunstvolle Locken in der Stirn und falsches Gehänge am Hals. Punkt fünf gingen die Scheinwerfer an. Die Musik verstummte. Auf der Bühne erschien ein Männlein. Gehrock, Stehkragen, schwarze Fliege unterm Kinn. Er stand vor dem Vorhang, hinter dem die Preise aufgestapelt lagen. Feierlich blinzelte er in die Runde, und dann verkündete er geheimnisvoll, der große Moment sei gekommen. Er habe die Ehre, mit der Preisverteilung zu beginnen. Das Schicksal habe die Würfel geworfen. Den Haupttreffer erhalte eine Person, die ihn dringend brauche. Eine Mutter von zwei Söhnen, die seit Jahren versuche, auf einen grünen Zweig zu gelangen. Die Gewinnerin heiße – Fanfarenstoß – Rosa Rotbart aus Zürich.

Ich stand auf und klatschte los. Dreitausend Leute machten es mir nach. Ein Feuerwerk für die arme Frau Rotbart! Als sich der Sturm gelegt hatte, bat das Männlein, die Gewinnerin möge auf die Bühne kommen. Es wurde ruhig im Saal. Von zuhinterst ruderte eine Frau herbei – oder sagen wir es ehrlich: ein Weib – rot und naß im Gesicht. Sie kletterte auf die Estrade, drehte sich zum Publikum, stand im Rampenlicht und starrte in die Menge. Das war der Tag der Gerechtigkeit, ihr jüngstes Gericht, die Abrechnung mit dem Schicksal. Sie weinte stumm vor sich hin. Die Zuschauer erhoben sich von ihren Sitzen und applaudierten. Mitten hinein blökte der Zeremonienmeister, daß er stolz sei und geehrt, einer unbekannten Losverkäuferin den Haupttreffer überreichen zu dürfen. Bei diesen Worten hob sich der Vorhang. Fanfarenstoß. Im Scheinwerferlicht glitzerte der Gabentisch. Zuvorderst eine Geschenkschachtel von ungeheuren Ausmaßen. Wozu dieser Pappkarton? Eine Million in Tausendernoten? Tausend mal tausend Franken oder zehntausend mal hundert? Das war das Umschlagen des Schicksals. Der Sargnagel war zum Rockefeller geworden. Dank der Wahrscheinlichkeitsrechnung. Über Nacht, sozusagen. Das Männlein im Stehkragen machte eine aufmunternde Handbewegung. Er lud Frau Rotbart ein, die Schachtel zu öffnen. Atemlose Spannung in der Festhalle. Das Weib zerrte an der Goldschnur. Nervös und fiebrig. Endlich war es soweit. Sie riß den Deckel hoch. Berge von Seidenpapier. Seit wann packt man Banknoten in Seidenpapier? Jetzt hielt sie ein Paket in der Hand. In Silberfolie gewickelt. Sie verlor die Geduld und schranzte die Silberfolie in Fetzen. Endlich! Dreitausend Personen schnellten von ihren Sitzen. Man hätte eine Mücke hören können. Die Witwe wagte nicht hinzublicken. Sie ertastete den Haupttreffer mit den Fingerspitzen. Sie zog ihn heraus. Aber wo war die Million? Wo die Wiedergutmachung für alle die Jahre? Für die Fußtritte und Ellbogenstöße? Sie hob ihn hervor, den ersten Preis. Ein Korsett. Sie hatte ein Korsett gewonnen. Nicht mehr und nicht weniger. Ein schwarzes Korsett. Ein Luxusmieder aus Paris. Einen hauchdünnen Schnürleib aus Flitter, aus Seide, aus exotischen Spitzen. Eine aufreizende Sünde. Die Ziffer 77. Kurtchens magische Zahl aus dem Reich der Wahrscheinlichkeit. Die Glückszahl der Pechvögel hatte gewonnen. Frau Rotbart stand da bis ins Herz getroffen. Auf diesen Haupttreffer hatte sie Schulden gemacht, ihre Ehre aufs Spiel gesetzt, Lichtenbaums Angebot ausgeschlagen und Herrn Müller ins Gesicht gespuckt. Eine Woche lang hatte sie frei geatmet und auf Vergeltung gesonnen. Nun war alles aus. Sie fing an zu kreischen. Sie brüllte wie ein verletztes Tier. Man habe sie betrogen. Das sei Mord an einer schutzlosen Witwe ... und sie schlug dem Zeremonienmeister das Korsett ins Gesicht, sie zerkratzte ihm die Visage, sie schlug mit den Fäusten auf ihn ein, dann sackte sie zusammen.

Einige Männer aus der ersten Reihe schwangen sich auf die Bühne. Hunderte von Neugierigen und zuletzt ein Arzt, der natürlich zu spät kam. Der Schlag hatte sie getroffen. Die Endziffer 77 war tot. Gestorben, wie einst ihr berühmter Gatte in Dresden. Auf den Brettern. Im Rampenlicht des Erfolgs. Des ersten und leider des letzten.

Ich machte mich aus dem Staub. Ich schämte mich zu Tode. Ich ließ Kurtchen allein, denn ich fühlte mich mitverantwortlich. Mitschuldig für das Geschehene. Jawohl, ich hatte mitgemordet, und es wurde mir klar, daß ich büßen mußte für meine Schuld. Noch in derselben Woche – Gott allein durchschaut den Zusammenhang – bat ich um Aufnahme beim kommunistischen Jugendverband.

Der Sheriff

Ich war und bin ein Kaninchen. Das sage ich Ihnen im Vertrauen, denn niemand weiß es und niemand soll es wissen. Man hält mich für einen mutigen Mann, der bei den übelsten Raufereien dabei war. Das ist wahr. Ich bin bei verschiedenen Handgreiflichkeiten dabei gewesen. Ich habe mitrandaliert und mitkrakeelt, aber hauptsächlich aus Angst. Wenn Sie wüßten, was für eine Angst ich habe.

Auf der Lettenbrücke war ich auch dabei. In der vordersten Reihe sogar. Absichtlich, um nicht zu kneifen im letzten Augenblick. Hinter mir staffelten sich fünf Reihen halbwüchsiger Helden. Jungen und Mädchen. An eine Flucht war nicht zu denken. Alle waren in meinem Alter, zwischen vierzehn und achtzehn Jahren, aber die hatten keine Angst, nehme ich an. Die waren aus härterem Material als ich: Lehrlinge, Hilfsarbeiter, Verkäuferinnen. Sie verdienten bereits ihr Geld und konnten weggehen von zu Hause, wenn es ihnen nicht mehr paßte. Auch fluchen konnten sie wie alte Soldaten. Ich nicht. Ich komme aus einer gepflegten Familie und schäme mich meiner Herkunft. Das habe ich von meinem Vater, der sich auch schämte. Er lehrte mich, daß Intellektuelle Abfall sind. Nebenprodukte der bürgerlichen Gesellschaft. Metastasen eines krebskranken Körpers. Von ihm erfuhr ich, daß es verwerflich sei, oben zu stehen. Daß die Rettung von unten komme. Also nicht von mir oder meinesgleichen, denn mein Vater war Arzt und meine Mutter Apothekerin. Ich durfte mitmachen.

Mein Vater wünschte es sogar. Aber nur in einer Nebenrolle. Die Hauptrolle spiele das Proletariat – dozierte er –, die Klasse der Zukunft, die Vorhut der Revolution. Ich spielte also meine Nebenrolle. Mit geheuchelter Bescheidenheit. Ich ließ mich bewundern und sagte, es sei nicht der Rede wert; den Sheriff solle man bewundern, nicht mich! Der sei eine Persönlichkeit. Lastenträger am Zürcher Güterbahnhof. Kisten mit 120 Kilo lädt er auf seinen Buckel. Vom Morgen bis zum Abend. Ein Athlet ist er und unerschrocken. Nicht wie ich! – Der Sheriff eine Persönlichkeit? gluckste jemand – ein schwachsinniger Trottel ist das. Stinkt nach billigem Wein, verbreitet den Tripper statt revolutionäres Bewußtsein. Auf den können wir verzichten. Den brauchen wir überhaupt nicht, weil er uns Schande bereitet! Ich war schlau genug, den Sheriff weiter in Schutz zu nehmen, denn auf diese Weise kamen meine eigenen Qualitäten erst richtig zur Geltung. Ich sagte, daß man mit dem Kopf allein auch nicht durch die Wand rennt, daß man uns schön zusammengehackt hätte, wenn damals ... und ich erzählte meine Geschichte zum hundertsten Mal. Nicht ganz wahrheitsgetreu, sondern mit listigen Zutaten, die auch meine Nebenrolle ins Rampenlicht rückten. Noch schlauer. Ich verharmloste meine Nebenrolle so bescheiden zu Gunsten des Lastenträgers, daß mir keiner glaubte. Daß mich alle für ungeheuer großmütig hielten und ich schließlich nicht schlechter dastand als der Sheriff selbst. Ich war ein Hase, aber ein gerissener.

Es ereignete sich während dem spanischen Bürgerkrieg. Im Herbst 1937, als jeder anständige Mensch für die Republikaner war und gegen Franco, der von Hitler un-

terstützt wurde und von Mussolini. Wir waren gerade im richtigen Alter. Als Freiwillige kamen wir noch nicht in Frage, weil wir zu jung waren. Aber protzen konnten wir. Daß wir nach Spanien fahren werden, sobald wir volljährig sind. Um unser Leben zu opfern für den Sozialismus und Kommunismus und alle großen Ideale, für die man so gerne zu sterben pflegt. Vorläufig übten wir den Bürgerkrieg im kleinen. Auf der Lettenbrücke, zum Beispiel. Wir sangen revolutionäre Lieder und brüllten Losungen in die Luft. Manchmal gab es auch richtige Straßenschlachten, und wir balgten uns bis zum letzten Schweißtropfen. Aber eine richtige Schlacht – ich meine so eine, von der man später einmal erzählen könnte – gab es erst auf der Lettenbrücke, als die »Nationale Front« ihren Einzug ins Zürcher Industriequartier halten wollte. Das konnten wir nicht zulassen. Das Industriequartier war rot, seit der Erschaffung der Welt, und die Faschisten hatten dort nichts zu suchen.
Als es begann, stand ich neben Schlohmeier. Der war noch ein größerer Scheißkerl als ich. Sein Vater besaß eine Puddingfabrik und Millionen auf der Bank. Er war ein Jahr älter als ich, hatte Pickel im Gesicht und eine Brille auf der Nase. Er beeindruckte mich mächtig, denn mit soviel Geld geht man normalerweise in einen Golfclub, nicht zu den Kommunisten. Aber das gerade machte ihn außergewöhnlich. Er schwamm gegen den Strom und erhob sich gegen seine eigene Klasse. Das verdiente unseren Respekt – fand ich –, denn wir vertraten ja die Ansicht, daß der Mensch erst anfängt, wo sein eigener Vorteil aufhört. Wir gehörten zu den Leuten, die am liebsten auf Nagelbrettern geschlafen hätten. Wir verpönten, was angenehm war oder bequem.

Und ich war von allen der Unversöhnlichste, weil ich am anfälligsten war für die Annehmlichkeiten des Lebens. Das hatte ich ebenfalls von meinem Vater, der ein Genußmensch war. Ich versuchte alles in mir auszumerzen, was meinem Wesen entsprach, und mein Wesen war selbstsüchtig. Wenigstens nach der Lehre von Marx und Lenin, denn meiner Herkunft entsprechend war ich ein klassenfremdes Element. Ein jüdischer Intellektueller. Den Eigennutz hatte ich im Blut und mußte ihn bekämpfen. Ich mußte werden, was ich nicht war: ein Sheriff zum Beispiel, oder ein Durchschnittsgenosse, der im Schatten stand und seine Pflicht tat. Ich übte mich in der Kunst zu begehren, was mir zuwider war. Ich bastelte mir eine künstliche Identität und fing an, systematisch unter falscher Flagge zu segeln. So schwerfällig wie möglich. Mit dem bäuerlichen Gang eines Proleten. Ruppig und vordergründig in Wort und Gehabe. Ich bedauerte fast, keinen Kropf zu besitzen oder Läuse, aber auch das würde noch kommen, hoffte ich. Jedenfalls war ich ein Komödiant. Man glaubte mir mein Theater. Und wenn ich listigerweise einmal erklärte, in Wirklichkeit sei ich faul und feige, da lachten die Genossen und meinten, ich scherze. Schlohmeier hatte auch Schuldgefühle, aber andere. Bei mir war es das schlechte Gewissen, einer Rasse von Krämern anzugehören, die schon vor zweitausend Jahren ihre Außenseiter ans Kreuz genagelt hatte. Schlohmeier gehörte der richtigen Rasse an, doch er onanierte. Ich kann es nicht beschwören, aber ich nehme es an. Wegen seiner Pickel auf der Stirn. Solche Leute fühlen sich ausgestoßen. Einsam stehen sie vor dem Spiegel und erbarmen sich ihrer Häßlichkeit.

Wir hatten uns im Theater kennengelernt. Man spielte den Don Carlos, der damals noch spannender war als heute. In Deutschland durfte er gar nicht aufgeführt werden. Bei uns saßen Geheimpolizisten im Saal, denn man befürchtete Demonstrationen. Ich war vierzehn Jahre alt und hatte keine Ahnung. Als da einer von der Bühne rief, er wolle Gedankenfreiheit, hielt ich das für ein Stichwort und klatschte los. Ich wollte den ganzen Saal mitreißen, aber niemand klatschte mit. Im Gegenteil. Typisch Zürich! Man zischte mich aus, von allen Seiten, weil ich den ordentlichen Ablauf der Vorstellung störte. In der Pause kam Schlohmeier auf mich zu. Kurzsichtig. Die Schultern verlegen hochgezogen. Versuchte mich anzulächeln und sagte: »Das war tapfer von Ihnen. Ich beglückwünsche Sie!« Er schmeichelte meinen Ohren. Genau das wollte ich hören. Dabei übersah ich, daß er überhaupt nicht tapfer war, daß er hätte mitklatschen können und mir seine Glückwünsche einen Dreck nützten. Ich sah nur, daß er auf mich aufmerksam geworden war, daß er »Sie« zu mir sagte und Anerkennung zollte für meine Zivilcourage. Ich blickte gleichgültig in die Ferne, als überhörte ich die süßen Worte; doch in Wirklichkeit platzte ich vor Einbildung.
So begann unsere Freundschaft. Er gefiel mir zwar nicht besonders. Er versteckte die schuldigfeuchten Augen hinter den dicken Gläsern seiner Hornbrille und sprach mit schleppend-besserwisserischer Stimme. Er war ungemütlich wie eine Kröte, ein vollkommener Kaltblütler. Bewohnte eine Zwölfzimmerwohnung mit Eltern und Geschwistern, kannte die Logarithmentafel auswendig sowie sämtliche Merowingerkönige in der richtigen Reihenfolge. Er gehörte zu jener Kaste von

Auserwählten, die sich niemals irren und denen man keine Fehler nachweisen kann. Bis jetzt hatte ich gemeint, die Revolution trage ein offenes Hemd und eine Jakobinermütze auf dem Kopf. Nun lernte ich, daß meine Vorstellungen romantisch waren. Unreif vor allem. Der Sozialismus sei eine Wissenschaft. Mehr noch. Eine exakte Wissenschaft wie die Geometrie oder Algebra, und alles hänge ab von einer kühlen, von einer objektiven, von einer haarscharfen Analyse; nicht von einer ruppigen Mütze, schief auf dem Kopf, oder einem offenen Hemd. Das machte mir Eindruck. Das war kritisch; gegen den Strom; Schlohmeier war anders. Wenn wir das Gegenteil der Gesellschaft waren, war er das Gegenteil des Gegenteils. Ein Sheriff im Quadrat, und ich redete mir ein, daß er mir gefalle. Ich versuchte auch, es den Genossen einzureden, aber sie ließen sich nicht überzeugen. Er war – wie soll ich sagen – ein hygienischer Revolutionär. Blitzsauber und vernünftig. Aus weltanschaulichen Gründen, wie er sagte. Seidene Hemden hatte er an, Anzüge aus besten englischen Stoffen, und schämte sich nicht. Er war der bestgekleidete Revolutionär der Welt. Er konnte es sich leisten. Die Proleten mußten ja froh sein, so einen Goldkerl in ihren Reihen zu haben.

Im Grunde genommen war ich neidisch auf ihn, denn er stellte mich in den Schatten. Wenn es einer nicht nötig hatte, sein Leben für die Unterklasse zu versauen, war es Schlohmeier. Trotzdem machte er mit, verteilte Flugblätter, schrieb Artikel, nahm an Sitzungen teil und analysierte die Situation. Er war bewunderungswürdig, aber ungeliebt. Darum wählte ich ihn – als Beweis meiner Selbstlosigkeit – zum Intimfreund. Für die Mädchen war er ein luftleerer Raum, ein weißer Fleck auf der Landkarte. Sie vergaßen seinen Namen oder blickten durch ihn hindurch, um seine Garstigkeit nicht wahrnehmen zu müssen. Die Jungen hingegen respektierten ihn, denn er war zuverlässig. Sie nannten ihn »Chronometer« und mich, seinen Zwillingsbruder, »Sonnenuhr«, womit gesagt wurde, daß ich weniger zuverlässig war. Er hörte nie auf, an mir herumzunörgeln, obschon er hätte stolz sein müssen, mein Freund zu sein. Chronometer und Sonnenuhr. Wir waren immer beisammen, aber der Chronometer war mir überlegen, weil er wenig sprach. Ich sprach zu viel. Auf hundert Worte, die ich verschleuderte, waren fünfzig überflüssig und der Rest nicht ausgereift. Schlohmeier schwieg tiefsinnig und vielsagend. Er verachtete mich wortlos. Er traf nur selten daneben, da er nur selten seine Meinung äußerte. Wenn er sie aber äußerte, dann berief er sich auf die Klassiker, auf Marx und Lenin und die übrigen Apostel. Ich konnte ihm nicht das Wasser reichen. Dafür gefiel ich den Mädchen. Das war mein Trost. Ob ich gescheit redete oder blöd. Ich war der Hahn im Korb, und Schlohmeier hoffte, dabei etwas mitzuprofitieren. Das war sein Grund, mein Intimfreund zu sein.

Ich rede so viel von Schlohmeier, weil ich mich heute noch ärgere, wenn ich an ihn denke, und weil er damals, als wir auf der Lettenbrücke die Arschbacken zusammenklemmten, eine merkwürdige Rolle gespielt hat. Ich sage merkwürdig, weil ich mir die Sache gemerkt habe und seit vierzig Jahren die Frage stelle, warum er ... aber lassen Sie mich berichten, wie sich das abgespielt hat.

Es war unser strategisches Ziel – eines seiner Lieblingswörter –, die Lettenbrücke um jeden Preis zu halten. Sie war ein proletarischer Schwerpunkt und durfte nicht verloren gehen. Wir hatten gelobt – eines meiner Lieblingswörter –, daß keine Hitlerfahnen in den Straßen des Industriequartiers wehen würden, es sei denn über unsere Leichen. Sechs Reihen stark standen wir da. Mit dumpfen Blicken und zusammengebissenen Zähnen. Es war ein kühler Oktoberabend. Die Bäume waren bunt. Es duftete nach taufrischen Äpfeln. Plötzlich schien es, als bebe ein fernes Donnergrollen vom Waidberg herüber. Wir starrten hinauf, doch sahen wir nichts. Bald wurde es offenbar, daß es Pauken waren. Bös und langsam schleppten sie sich durch die Häuserzeilen. In weniger als einer Stunde mußte es passieren. Wir wußten nicht genau was, aber zweifellos eine mörderische Angelegenheit. Die Straße, die zum Lettenbahnhof herunterführte, glich einer schlafenden Schlange. Plötzlich erschien ganz oben ein farbiger Fleck. Nein. Drei farbige Flecken. In der Mitte ein Hakenkreuz. Links und rechts davon die Fahnen der Nationalen Front. Jetzt konnte man sie erkennen. Noch eine gute halbe Stunde und es ging los. Wir glühten vor Ungeduld, rannten aus der Kolonne, über die Brücke, aufs feindliche Ufer, um besser zu sehen. Es war eine Armee. Fünfmal so viele wie wir, vielleicht auch mehr. Was da auf uns zukam, war keine Straßenschlacht, sondern ein Blutbad. Ich war nah daran zu verzagen, blickte zurück. Entsetzen zeichnete sich in den Gesichtern ab. Ich weiß es nicht mit Gewißheit, doch ich nehme an, daß die meisten das Gleiche dachten wie ich. In jenem Augenblick fiel mir auf, daß jemand fehlte. Schlohmeier. Wortlos und unauffällig mußte er sich verdrückt haben,

und ich war so vorwitzig, es den anderen mitzuteilen: der Chronometer ist verschwunden, brüllte ich, und ein Schrei der Entrüstung erhob sich in unserem Lager. Die Genossen schnaubten vor Wut. Dieser Feigling, dieser pickelübersäte Puddingmillionär, dieser Klassiker des Marxismus-Leninismus hat uns im Stich gelassen! So tönte es von allen Seiten. Es säuselte wie Engelsmusik in meinem Herzen. Ich war auch ein klassenfremdes Element, doch ich war geblieben. Die Schimpfworte gegen Schlohmeier waren Palmwedel für mich. Unausgesprochene Lobeshymnen auf meine revolutionäre Standhaftigkeit, und ich wuchs in meinen eigenen Augen. Ich hatte fast ebensowenig Motive, bei den Kommunisten zu sein wie mein Intimfreund, ich aber verharrte auf meinem Posten. Er nicht. So schien es wenigstens. In Wirklichkeit hatte ich nur langsamer geschaltet als Schlohmeier. Es blieb mir nichts übrig, als zu bleiben. Alle mußten jetzt bleiben. Wir waren Gefangene unserer eigenen Worte. Wäre Schlohmeier nicht davongerannt, hätten wir vernünftig miteinander beraten und den Rückzug angetreten. Das konnten wir jetzt nicht. Wir nannten ihn einen Feigling und Verräter; also mußten wir tapfer sein; treu bis in den Tod. Wir konnten nur noch nach vorne flüchten. In den sicheren Untergang, und wir sangen mit hysterischer Inbrunst: Las campanias d'acero cantando al muerte van – wir sind die Stahlbataillone und ziehn mit Gesang in den Tod!
Vom Waidberg herunter marschierten die Faschisten, schlugen die Pauken, schwenkten die Fahnen und hatten keine Angst. So schien es. Sie waren fünfmal stärker, fünfmal siegesgewisser. Wir hingegen hatten alle Hoffnung aufgegeben, lebend aus dem Gemetzel herauszu-

kommen. So grölten wir, skandierten heroische Losungen, schlossen unsere Reihen immer enger, bis die Feinde ganz nahe kamen. Wir konnten sie erkennen. Jeden von ihnen. Schön waren sie nicht, aber schrecklich. Die drei Fahnenträger trugen Studentenmützen auf dem Kopf und seidene Korpsbänder um den Bauch. Sie hatten Schmisse im Gesicht und gewaltige Kinnladen. Die Hinteren sah man nicht. Nur die Vordersten, und das waren baumlange Kerle, die entschlossen schienen, uns zu zermalmen. Plötzlich wurde es still auf der Brücke. Die Pauken verstummten. Wir hörten auf zu singen. Das war die Ruhe vor dem Sturm. Mir pochten die Eingeweide. Der Zwölffingerdarm zog sich zusammen. Ich wollte umsinken vor Herzklopfen, als neben mir – wie ein Blechwecker am frühen Morgen – eine Mädchenstimme aufschrillte: »No passaran!« Sie werden nicht durchkommen, sollte das heißen. Das schrien die spanischen Republikaner, wenn die Faschisten zum Sturm antraten. Das zündete überall. Bei Teruel, Guadalajara und auf der Lettenbrücke. Hier war es die rote Lily, die uns anfeuerte, und mit selbstmörderischer Lust übernahmen wir ihre Losung: No passaran – sie werden nicht durchkommen! Aber die Feinde kümmerten sich einen Schnurz um unser Gebrüll und marschierten vorwärts. Noch hundert Schritte, und die Welt mußte untergehn.

Bevor ich nun weitererzähle, will ich kurz mitteilen, wer diese Lily war, denn sie trug schließlich die Hauptschuld an unserem Mißgeschick. Die Rothaarigen sollen scharf sein, sagt man, aber mit Lily war das anders. Ich habe mit ihr geschlafen und kann Ihnen versichern, daß sie weder scharf war noch fad. Sie machte ihre Sache fleißig. Mit schweizerischem Pflichtgefühl. Ich kenne niemanden, der sich beklagt hätte, und weiß Gott, daß sie es mit allen getrieben hat. Mit Ausnahme von Schlohmeier, selbstverständlich. Der graust mich, pflegte sie zu sagen. Sieht aus wie ein Fleischkäs. Redet wie die sprechende Uhr der Telephonverwaltung. Ein Alptraum! Sie war Serviertochter an der Langstraße. Eher hübsch, wenn ich mich recht erinnere. Alles am richtigen Ort, wohlproportioniert, harte Brüste und einen saftigen Hintern. Die Nase war vielleicht etwas dünn, und alles schien irgendwie spitz an ihr, sogar ihre Art zu sprechen. Mein Vater sagte – nachdem sie einmal bei uns gefrühstückt hatte –, er hätte sich die Revolution eigentlich anders vorgestellt. Vergnüglicher. Aber die Revolution sei kein Karneval, und in harten Zeiten begnüge man sich mit Schwarzbrot! Er war ein Scheusal, mein Vater, und hatte Sinn für Humor, nur übersah er, daß Lily nicht mit mir schlief, um sich zu vergnügen. Dafür erzählte sie nachher, wie es gewesen sei. Ausführlich und mit Einzelheiten. Jedem verteilte sie ihre Zensuren. Jeder ist drangekommen. Von mir sagte sie zum Beispiel, ich sei eine Rakete. Nicht mehr und nicht weniger, wobei sie geheimnisvoll in die Ferne blinzelte. Eine bessere Reklame konnte sie mir gar nicht machen. Eine Rakete im Bett. Man konnte sich Verschiedenes dabei denken: einen kurzen Knall und alles ist vorüber. Oder eine Feuergarbe von Funken und Sternen. Oder einen Strauß von bunten Lichtern, welche aufgehen und verlöschen. Die Mädchen waren neugierig, und mehr brauchte ich nicht. Ich mußte es ihnen zeigen! Ihr letzter Liebhaber war der Sheriff gewesen. Juniorenmeister der Nordostschweiz im Ringen und Schwingen. Lastenträger am Zürcher Güterbahnhof. Ein Dreschflegel mit Froschaugen und kahlgeschorenem Kopf. Manchmal flackerte ein Funken Sehnsucht in seiner Iris, besonders wenn er vom Essen sprach. Einmal sagte jemand, am großen Abend, wenn auf dem Bundeshaus in Bern die rote Fahne hochgezogen würde, bekäme jeder Genosse eine Doppelportion Ente mit Orangen. Da liefen ihm die Augen über, und er leckte sich die Oberlippe ab. Den Namen Sheriff hatte er sich selbst gegeben, denn er hielt sich für den gerechten Arm der proletarischen Revolution. Er war klein, untersetzt, von titanischen Kräften, konnte also Bäume ausreißen. Das tat er auch, als Lily auf dem Albishorn ihren achtzehnten Geburtstag feierte. Er riß eine mittelgroße Rottanne aus dem Boden und überreichte sie ihr als Geburtstagsstrauß. Als Schlohmeier voll eifersüchtiger Pedanterie erklärte, daß Rottannen unter dem Schutz des Oberförsters stünden, gab Sheriff zurück, er habe das nur getan, weil es zu dieser Jahreszeit keine Wiesenblumen gäbe. Mit dieser »kleinen Aufmerksamkeit« hatte Sheriff das Herz der Genossin erobert, und sie ging mit ihm in die Büsche. Ein paar Tage später erzählte sie, der Juniorenmeister im Ringen und Schwingen sei eine Wildsau, habe ihr am Geburtstag einen Tripper angehängt, und dazu noch im Suff! Das hätte sie nicht zu verraten brauchen. Schlohmeier erfuhr es und berief eine Vollversammlung ein. Mit einem einzigen Punkt auf der Traktandenliste: Sheriff! Wir saßen da und hörten Fremdwörter, die wie Peitschenhiebe auf uns niederprasselten: Promiskuität als Ausdruck einer dekadenten Lebensführung. Sexuelle Zurückhaltung als Pflicht der proletarischen Avantgarde. Gonorrhöe in den Reihen der kommunistischen

Arbeiterjugend. Alkohol als Opium für das Volk und so weiter und so fort. Die Sitzung dauerte nicht lange. Sheriff wurde ausgeschlossen. Schlohmeier hatte keine anderen Sorgen. Hitler fraß ganz Europa auf. Mussolini schluckte Abessinien; doch Schlohmeier kämpfte für die Reinheit unserer Reihen. Ein Prachtskerl! Wir wagten nicht, irgendwelche Einwände zu formulieren, denn der Chronometer belegte seine Anklage mit Zitaten aus Marx und Lenin. Schlohmeier hatte gesiegt. Wir verloren den Juniorenmeister im Ringen und Schwingen, den gerechten Arm der proletarischen Revolution, doch hatten wir das freudige Bewußtsein, unsere sozialistische Moral erhalten zu haben. Daran war Lily schuld, diese Kuh, weil sie ihren Tripper an die große Glocke hängen mußte, statt zum Arzt zu gehen und sich ausheilen zu lassen. Nun standen wir da, geläutert und sauber, und vor Angst kackten wir in die Hosen, denn zwanzig Schritte vor uns standen die drei Fahnenträger und gaben das Zeichen, uns zu Hackfleisch zu machen.
Wir waren fünfzig Jungen und Mädchen. Wir skandierten unsere Losung und wußten, daß jetzt alles aus war. Aber wir hatten gelernt, daß es ehrenvoller sei, stehend zu sterben als auf den Knien zu leben. Seither habe ich Leute getroffen, die vorübergehend auf den Knien lebten und gottseidank noch da sind, um der Menschheit wertvolle Dienste zu erweisen. Ich bin auch Leuten begegnet, die ihr Leben lang auf den Knien lebten, weil es aus dieser Position bequemer ist, den Stehenden ein Bein zu stellen. Ich selbst bin heute um vierzig Jahre älter und habe es nicht mehr so eilig, einen Heldentod zu sterben, sei es stehend oder auf den Knien. Aber damals fehlte mir die Intelligenz, im richtigen Moment umzukehren.

Ich war einfach zu dumm und konnte nicht rechnen. Das Kräfteverhältnis war fünf zu eins für die Korpsstudenten. Die Chance, stehend zu krepieren, war gewaltig, und da erschallte ein Knattern über den Fluß, ein regelmäßiges Husten, das von hinten kam und immer deutlicher wurde. Ich habe schon immer eine blühende Phantasie gehabt. Jetzt bildete ich mir ein, das heroische Proletariat des Industriequartiers eile uns zu Hilfe, wie die gute Fee im Kindermärchen, im letzten Augenblick, mit Maschinengewehren und roten Fahnen, weil die Gerechtigkeit am Ende siegen muß. Alle Wege führen zum Kommunismus, hatte man uns beigebracht, die Lettenbrücke ebenfalls. Es war aber nicht das heroische Proletariat, auch keine rettenden Maschinengewehre, sondern ein halbverrostetes Motorrad Marke Puch – 350 Kubikzentimeter. Darauf saßen zwei sonderbare Gestalten, ein Don Quichote und ein Sancho Pansa; ein Dicker vorn und auf dem Hintersitz ein Asket. Der Dicke hatte einen Strohhut auf dem Kopf, der Asket eine Hornbrille auf der Nase und Pickel im Gesicht. Wir konnten es nicht glauben. Das waren die Todfeinde von gestern, der Moralprediger und das Opium fürs Volk, die brüderlich herbeidonnerten, um das Wunder an der Limmat zu vollbringen. Sheriff und Schlohmeier. Körper und Geist der Revolution. Sie warfen das Motorrad ans Geländer, und Schlohmeier kletterte auf einen Brükkenpfosten, von wo er nüchtern verkündete: »Genossinnen und Genossen: der Sheriff ist wieder da!« Normalerweise hätten wir in hysterische Begeisterung ausbrechen müssen. Vor uns stand ja der Klassenfeind. Dreihundert Mostköpfe mit farbigen Bändern um den Bauch und furchtbaren Unterkiefern. Sie wollten uns zerschmettern und in Stücke reißen, doch der Gesalbte war gekommen auf unser Schlachtfeld. Hoffnung jubelte in unseren Herzen, aber keine Freude. Der Erlöser war Juniorenmeister im Ringen und Schwingen, doch er hatte eine Krankheit, bei deren Namen einem das Lachen verging. Er hatte Lily angesteckt und Lily würde uns anstecken und das konnte so weitergehen, bis die ganze Revolution ein einziger Tripperhaufen war. Dieser Sheriff war ein Schandfleck auf unserer Fahne. Er hurte und soff. Jetzt auf einmal sollte er uns retten. Bitteschön. Das eine hatte nichts zu tun mit dem anderen, wenn man genau überlegte. Aber warum hatte ihn Schlohmeier geholt? Ausgerechnet dieser Sittenrichter mit den dünnen Lippen, der uns mit Zitaten aus den Klassikern bewiesen hatte, daß Sheriff eine Gefahr sei für unsere Grundsätze, daß jede Verbindung mit ihm zur Verseuchung unserer Heerscharen führe. Das hatte er doch gesagt. Wörtlich und noch schärfer. Nun stand er auf dem Brückenpfosten und teilte mit – ohne rot zu werden –, daß Sheriff wieder da sei. Was sollte das bedeuten »wieder«? Schon wieder? im Sinn einer Schmeißfliege, die man nicht los wird; oder umgekehrt? Sheriff ist nach langer, höchst bedauerlicher Abwesenheit wieder unter uns. Oder noch besser? Der Totgeglaubte ist auferstanden, lebt und wird euch gleich zeigen, wozu er imstand ist! Das sollte es zweifellos bedeuten, und wir fanden es ziemlich erstaunlich, obschon es gar nichts zu bestaunen gab. Die Kommunisten sind keine Buchstabengelehrten – lehrten uns die Führer –, und sie ändern ihre Taktik, wann immer die Bedingungen es erfordern. Darum wurde Sheriff rehabilitiert. Warum eigentlich nicht? Ein Jahr später schloß Stalin einen Freundschaftsvertrag mit Hitler, weil die Bedingungen es erforderten. Wir lernten nach und nach, noch dickere Brocken zu schlucken; denn die Bedingungen erforderten es stets von neuem. Es machte uns verlegen, doch wir vertrauten der Partei. Wir öffneten Sheriff wortlos die Reihen, und er schritt voran und vorbei, als hätte er uns nie gekannt. Nicht einmal Lily würdigte er eines Blickes. Stumm schlurfte er voran. Ein Dutzend Schritte. Bis zum Hauptmann der feindlichen Armee, zum baumlangen Kerl mit der Hitlerfahne in der Hand. Nun standen sie sich gegenüber. David und Goliath. Sheriff klein und stämmig. Eine riesige Kraft in kurzen Gliedern zusammengeballt. Bös gerötete Froschaugen und auseinandergespreizte Beine. Er blickte zum Philisterkönig hinauf, zum Goliath mit den Schmissen im Gesicht, riß den Strohhut vom Schädel und knirschte: »Mach mal den Rotzlumpen weg, du lustiger Knabe!« Die Beleidigung war um so verrückter, als sie so bescheiden war. Rotzlumpen. Lustiger Knabe. Sheriff war ein Liliputaner neben dem Bannerträger. Er sagte Rotzlumpen, und das Hakenkreuz war vier Quadratmeter groß. Der Faschist würde sich lächerlich machen, wenn er den kleinen David nur berührte. Darum tat er, als habe er nichts gehört und nichts gesehen. Er wechselte die Fahne von der rechten Hand in die linke, und es konnte losgehen.

Die weiteren Ereignisse waren entscheidend, dauerten aber nur wenige Sekunden. Sheriff wiederholte seine Warnung: »Runter mit dem Rotzlumpen!« Und zum zweiten Mal übersah ihn der Hauptmann. Er setzte sich in Bewegung – hinter ihm dreihundert Übermenschen mit Pauken und Fanfaren. Vor ihm ein Häuflein von

Phantasten, die vom Spanischen Bürgerkrieg träumten und der russischen Revolution. Zwischen den Fronten stand ein Zwerg, einen zerbeulten Strohhut in der Hand, entschlossen, den Lauf der Weltgeschichte umzuleiten. Die Einzelheiten jenes Augenblicks habe ich vergessen. Ich erinnere mich nur, wie plötzlich eine riesige Hitlerfahne durch die Luft wirbelte und übers Geländer in die Fluten stürzte. Das war nicht möglich. Das widersprach den Gesetzen der Natur. Der Übermensch hatte keine Zeit, seine Schlappe wiedergutzumachen. Sheriff packte ihn bei den Schenkeln – ein Kniff der Ringer und Schwinger –, hob ihn hoch und schleuderte auch ihn in den Fluß. Wir brachen in ein Siegesgeheul aus. Die Entscheidung nahte. Das Schicksal schien sich zu wenden. Die Unterführer stürzten sich auf unseren Helden, doch waren sie behindert in ihren Bewegungen. Die Sturmbanner störten sie im Kampf, und sie wagten nicht, ihre Heiligtümer wegzuwerfen. Die Würfel waren gefallen. Auch sie flogen in den Lettenkanal mitsamt ihren Seidenschärpen und Nazifahnen. Es ging zu wie im Märchen. Der Jäger war gekommen und schmiß den bösen Wolf ins Wasser. Alles wurde wieder gut. Weit hinter uns – auf sicherem Posten – stand Schlohmeier und erteilte den Befehl zum Angriff: Adelante Companieros! schrie er auf spanisch, und wir machten es wie die Genossen vor Madrid und Valencia. Wir zogen mit Gesang in den Tod, oder zumindest über die Lettenbrücke, hinter den flüchtenden Faschisten her. Für eine bessere Welt!

Ein Taumel hatte uns ergriffen, als wir die aufgelösten Kolonnen des Feindes sahen. Wir vergaßen, daß Sheriff den Tripper hatte. Wir verfolgten die Philister, die ihren

Goliath verloren hatten und die Schlacht. Sie rannten auf den Waidberg zurück. Sie mußten sich gefallen lassen, daß wir ihnen Roßäpfel nachwarfen und spanische Schimpfwörter. Wir hatten gesiegt und meinten nun, die proletarische Revolution sei unbesiegbar, der große Führer habe recht und alle Wege führten zum Kommunismus.
Am nächsten Abend nahmen wir Sheriff wieder auf. Feierlich. Lily persönlich legte ihm ein rotes Halstuch um den Nacken. Ich gab ihm das Mitgliedsbuch zurück, und Schlohmeier hielt eine kurze Ansprache. Wissenschaftlich und leidenschaftslos. Wie die sprechende Uhr der Telephonverwaltung.

Satan und der Fakir

Wenn ich an ihn zurückdenke, sehe ich seinen kurzgeschorenen Schädel und die eisblauen Sperberaugen, die stets argwöhnisch nach einem Opfer suchten. Wir nannten ihn Satan, bewundernd und haßerfüllt zugleich, denn er war so etwas zwischen Scharfrichter und Liebling der Massen. Er war herrschsüchtig und pfiffig. Reden konnte er wie ein Staatsanwalt, mit gesalbter Stimme und selbstgerechtem Zorn. Er war Hilfsarbeiter bei Tavaro, ein Proletarier seit zwölf Generationen, weshalb er sich mit der gesamten Arbeiterklasse verwechselte und mit dem Kommunismus schlechthin. »La révolution c'est moi«, soll er gesagt haben. Wenn er es nicht gesagt hat, so hat er es gedacht, davon bin ich überzeugt. Er sprach flüssig, eindringlich, mit einem Unterton, der Widerspruch nicht duldete. Er war einer von jenen, die immer recht haben. Darum wurde er unser Leithammel, den alle respektierten und niemand ins Herz schloß.
Es gehört zu den Besonderheiten zahlreicher Weltverbesserer, wenig Sinn für Humor zu haben. Satan hatte überhaupt keinen. Er war zwar boshaft. Manchmal sogar schlagfertig und abschätzig bis zur Niedertracht, doch scherzen konnte er nicht. Er war ein Sauertopf, ein Griesgram im Quadrat. Er trug die Nase auf halbmast, denn – so pflegte er zu schulmeistern – »die Sklaven seufzen unter ihren Ketten und zu lachen gibt es gar nichts!« Er war so tierisch ernst, daß ich ihn fürchtete. Ich war ja ein Fremdkörper, ein verdammter Intellektu-

eller, ein Störenfried, der ewig müßige Fragen stellte, und besonders solche, auf die er keine Antwort wußte. Aus Angst schloß ich Freundschaft mit ihm, doch unsere Beziehung stand auf tönernen Füßen. Aus weltanschaulichen Gründen, vor allem. Aber auch wegen Mila, die ich heiß begehrte, obwohl sie seine Freundin war und ein strahlendes Attribut seiner Macht.

Manchmal gelang es ihm, den Vogel abzuschießen. Unfreiwillig, nehme ich an. Ich erinnere mich genau. Es war in den fünfziger Jahren. An einem internationalen Jugendtreffen. Mit Fahnen, Spruchbändern, Resolutionen und Kohorten uniformierter Blasmusikanten. Satan vertrat die Jungkommunisten aus der Schweiz, von denen es nur wenige gab; bestenfalls ein paar hundert. Andächtig lauschte er den verschiedenen Delegierten, die mit den Opfern prahlten, die sie gebracht hatten im Kampf gegen Faschismus, Imperialismus und andere Teufeleien der kapitalistischen Weltverschwörung. Als erster stieg ein Russe auf die Tribüne, denn er hatte 16 Millionen Tote anzumelden. Von den anderen 16 Millionen, die in Stalins Konzentrationslagern umgekommen waren, sagte er nichts. Dann kam der Chinese mit 8 Millionen Opfern, und er schämte sich, nur an zweiter Stelle zu stehen. Als dritter sprach ein Pole mit sechs Millionen Leichen, wobei er gleich ein paar Millionen Juden mitzählte, die er sonst nicht zum polnischen Volk zu rechnen pflegte. Darauf kamen die Jugoslawen mit 2 Millionen, die Franzosen mit einer Million und weitere Delegierte mit kleineren Beträgen. Als einundzwanzigster war Satan an der Reihe. Trostlos erhob er sich von seinem Platz und erklärte mit jammervoller Stimme: »Ich bitte die Genossen, uns Schweizer zu entschuldi-

gen; aber wir sind alle noch da!«
Während eines langen Augenblicks herrschte Stille im Saal. Die Russen meinten, falsch verstanden zu haben. Die Chinesen lächelten unverbindlich. Die Jugoslawen vermuteten einen Übersetzungsfehler. Dann brach ein Heiterkeitssturm aus. Ein schizophrenes Gewieher, das besonders die Jugendfunktionäre aus den Oststaaten verärgerte; sie waren über vierzig und verstanden keinen Spaß mehr. Dafür brüllten die anderen, klatschten stehend Beifall, rasten, schnappten nach Luft, bis sie ermattet auf ihre Sitze sanken. Sie waren sich einig, daß Satan der Größte sei. Unschlagbar. Der köstlichste Kommunist der Welt. Dabei hatte er nur seinen Kummer formuliert. Ohne Hintergedanken. Mit tiefem Bedauern. Als man mich fragte, woher er seinen Witz habe, gab ich zur Antwort, es gebe auch lustige Marxisten: die Marx-Brothers zum Beispiel.
Doch kehren wir in die Zeit zurück, von der ich hier berichten möchte. Das war im Frühjahr 1945. Der Krieg um uns herum lag in den letzten Zügen. Die Rote Armee stand schon in Bayern. Weitsichtige Eidgenossen sagten voraus, die Kosaken würden bald ihre Rosse im Bodensee tränken. Besonders schlaue Schweizer spielten bereits mit dem Gedanken, gelegentlich bei uns anzuklopfen und gewisse Sympathiebeweise auf unser Postscheckkonto einzubezahlen. Wir waren nicht mehr verboten und noch nicht zugelassen, aber es war schon ungefährlich, auf unsere Nummer zu setzen. Es drängten sich so viele in unseren Verein, daß wir wählerisch wurden. Früher waren wir den Leuten nachgelaufen. Hatten sie bearbeitet, mit langweiligen Broschüren und hölzernen Losungen. Jetzt fingen wir an, Bedingungen

zu stellen und pedantische Fragen:
– Wie heißt du? erkundigte sich Satan, indem er wichtigtuerisch in seinem Notizbuch blätterte.
– Was willst du von mir, du Pinsel? Wir sind miteinander in die Schule gegangen. In derselben Klasse sind wir gesessen, und jetzt fragst du, wie ich heiße. Pontet heiße ich und habe immer so geheißen.
– Ich frage nicht meinetwegen, du Maulheld. Die Genossen wollen es wissen, und wenn sich auch kein Hund darum schert, muß ich trotzdem fragen, weil es die Statuten verlangen. Wenns dir nicht paßt, kannst du nach Hause gehn. Dein Vorname?
– Es paßt mir ganz und gar nicht, erwiderte Pontet. Ich furze auf die Statuten und heiße Louis. Wie mein Vater. Der hieß ebenfalls Louis, doch im Gegensatz zu mir war er ein Schwein. Gleicher Name, gleicher Vorname, aber verschiedene Blutgruppen. Auf die Blutgruppe kommt es an, nicht auf den Namen.
Jetzt setzte er sich, holte ein Taschenmesser hervor und begann, seine Fingernägel zu putzen. Er war der erste, der wagte, Satan die Stirn zu bieten. Wir freuten uns insgeheim. Wir fanden, es sei eine wohlverdiente Ohrfeige für unseren Leithammel und warfen uns vielsagende Blicke zu. Pontet war zwei Meter groß. Wenn er wollte, konnte er Satan aus dem Fenster werfen. Aber vorläufig wollte er nicht. Seine Haut war gelblich. Er war knochig und hager. Er hatte vierzig Grad Fieber in den Augen. Permanent. Und war schlechter Laune. Ebenfalls permanent, was in jenen Zeiten noch die Ausnahme war, denn Jungkommunisten hatten zu lächeln. Zuversichtlich in die Zukunft zu blicken. Nach Osten natürlich, wo die Sonne aufgeht – obwohl man damals

schon spüren konnte, daß sie dort unterging. Aber Pontet war seiner Zeit voraus. Er war – wie man das später zu nennen pflegte – ein zorniger junger Mann. Das verunsicherte uns. Wir erwarteten von Satan, daß er ihn zurechtweisen würde. Mit einem seiner Giftpfeile. Damit der Querkopf begriff, bei wem er zu Gast war. Aber nichts dergleichen trat ein. Die Pattsituation breitete sich aus wie ein Ölfleck. Der Zweikampf blieb unentschieden und Satan fragte eher kleinlaut:
– Wo wohnst du?
– Das ist eine gute Frage, gab Pontet zur Antwort, wobei er unverschämt in der Nase bohrte –, die Adresse wählt man selber. Im Unterschied zum Namen. Ich wohne an der rue des Etuves, Nummer 13. Da wohnen billige Mädchen und ausrangierte Zuhälter. Da ist es gemütlich. Es stinkt nach Bier und Latrine. Wer dort wohnt, hat den Wurm im Holz.
Wir waren sprachlos. Da kam einer, gab Anweisungen, was wir ihn fragen sollten oder nicht. Und jetzt protzte er mit dem Wurm in seinem Stamm. Satan verzog das Gesicht und angewidert fuhr er weiter in seinem Verhör:
– Beruf des Vaters?
– Eine Sau ist er gewesen. Lebenslänglich. Hab' ich bereits mitgeteilt.
– Hast du, ja, aber davon kann man nicht leben.
– Stimmt, aber ich habe gesagt, daß er tot ist. Gottseidank.
– Und deine Mutter, was macht sie?
– Am Tag oder in der Nacht?
– Was sie für einen Beruf ausübt.
– Am Tag, entgegnete Pontet, indem er sich eine Ziga-

rette drehte – ist sie Servierfräulein. Auf einem Dampfschiff zwischen Genf und Lausanne.
– Und in der Nacht?
– In der Nacht kannst du mich am Arsch lecken, Genosse!
Dieser Mensch war verrückt. Er wohnte in einem Puff. Er gab zu Protokoll, daß sein Vater ein Miststück war und seine Mutter eine Hure. Er tat alles, um uns gegen sich zu stimmen, vielleicht sogar absichtlich, um uns zu prüfen. Es war mir jedenfalls klar, daß wir ihn dafür nicht zurückweisen konnten. Alles durften wir ihm vorwerfen, aber nicht die Herkunft. Wir sangen die Internationale. Wir waren die Verdammten dieser Erde. Jetzt kam so ein »Verdammter«, wünschte, unser Genosse zu werden, doch wir ekelten uns vor ihm. Das war grotesk. Da konnte etwas nicht stimmen. Wir brüsteten uns, die Partei der Unterklassen zu sein, und wenn einer kam – so ein sozialer Abfall –, zuckten wir zusammen. Wir beriefen uns auf die Ideale der Philosophen, auf die Postulate der großen Revolution, auf die Freiheit jedes Menschen, sein eigenes Leben zu führen. Das wollte Pontet. Sein eigenes Leben führen. Anders sein als alle Übrigen, und wir zuckten zusammen. Wir hatten Angst. Unser Leithammel ganz besonders.
– Dein Beruf? fragte er und blätterte in seinen Papieren.
– Fakir, gab Pontet zur Antwort.
– Ich meine, was du arbeitest. Womit du dein Leben verdienst.
– Bist du taub oder blöd? Fakir bin ich. Weißt du nicht, was das ist?
Er sagte das so selbstbewußt, als sei er Milchmann oder

Straßenkehrer, aber jetzt war er zu weit gegangen. Satan wurde rübenrot im Gesicht und brüllte:
– Du streust uns Flöhe ins Hemd. Du möchtest wissen, wie die Kommunisten sich verhalten, wenn man ihnen in die Pantoffeln kackt. Entweder du antwortest auf meine Fragen oder du fliegst zur Türe raus wie ein Kanarienvogel aus dem Besenschrank. Womit verdienst du dein Brot? Was bist du?
Jetzt erhob sich Pontet zum zweiten Mal. Seine Haare hingen ihm herunter wie schwarze Kreuzottern. Er hatte nun 41 Grad Fieber in den Pupillen. Er beugte sich zu Boden, zog eine Nadel aus dem Stiefelschaft – eine silbrig blitzende Stricknadel, die einen halben Meter lang war – und steckte sie zu unserer Bestürzung in die rechte Backe hinein. Minutiös und umständlich, bis sie zur linken Backe wieder herauskam. Triumphal schaute er über die Versammlung hinweg und mauschelte: »Fakir bin ich, Himmelherrgott, oder braucht ihr noch andere Beweise?«
Das war ein Tritt in die Bauchhöhle. Also stimmte es, was er sagte. Er war ein Fakir. Nicht mehr und nicht weniger. Den Rest mußten wir ebenfalls zur Kenntnis nehmen. Man stelle sich das Bild vor! Da steht einer, hat eine Stricknadel quer durchs Gesicht und will Kommunist werden. Das war im höchsten Grade verwirrend. Der schlief also auf einem Nagelbrett und fügte sich Schmerzen zu, ohne mit der Wimper zu zucken. Allein der Gedanke daran ließ mich erschauern. Er verneinte seinen Körper, um ganz Geist zu werden. Wie ein Bettelmönch aus Nepal. Warum sollte der kein Kommunist werden? Ein idealer Kandidat, wenn man genau überlegte. Es fragte sich nur, ob er wirklich ganz uneigen-

nützig handelte. Vielleicht war er ein Masochist, der ein Vergnügen fand an den Qualen, die er auf sich nahm. Oder ein Exhibitionist, der auffallen wollte und Extasen erlebte, wenn er sich zur Schau stellte. Oder ein hundsgewöhnlicher Krämer, der bereit war zu allem, wenn es Gewinn brachte.

Satan war gegen ihn. Das war eindeutig. Aus primitiver Eifersucht, weil ihn Pontet an die Wand spielte. Bis zu diesem Tag war er der unbestrittene Führer, doch jetzt zerrann sein Mythos wie Butter in der Sonne. Der Fakir, das spürte man in der Luft, wuchs ihm über den Kopf, und das konnte er nicht zulassen. Er bedrohte seine Position bei den Genossen und – was bedeutend schwerer wog – bei den Genossinnen. Wenn ich jetzt nicht eingriff und meine ganze Besonnenheit in die Waagschale warf, mußte ein Unrecht geschehen. Darum erhob ich mich von meinem Platz, räusperte mich und sagte beschwichtigend:

– Wir müssen gerecht bleiben, Genossen, und kühl. Wenn jemand diesen Fakir nicht leiden kann, ist das Privatsache. Ich will gestehen, daß auch mir das Aufnahmegesuch dieses Menschen einige Schwierigkeiten bereitet, denn es ist beispiellos in der Geschichte der Arbeiterbewegung. Die Klassiker des Marxismus-Leninismus – hier strich ich mir professoral übers Nasenbein – haben sich nie zur Frage geäußert, ob ein Fakir Platz hat in den Reihen der Weltrevolution. Deshalb – jetzt wurde es kirchenstill im Versammlungslokal – schlage ich vor, den Antragsteller aufzunehmen, aber auf Probezeit. Er soll sechs Monate lang beweisen, was er kann und wer er ist. Wenn er sich bewährt – was wir nicht ausschließen wollen –, machen wir ihn zum Vollmit-

glied. Andernfalls soll ihn der Teufel holen!
Dieser Kompromiß fand Anklang, außer bei Satan. Einen Nebenbuhler hatten wir eingeschleust. Einen Lumpenproletarier zweifelhaftester Qualität. Womöglich einen Polizeispitzel, der uns samt und sonders verraten würde. Er wettete auf seine Ehre als Kommunist, daß wir alle auf dem Nagelbrett enden würden. Mit einer Stricknadel in der Brust und einem Säbel im Rachen. Und mir warf er an den Kopf, ich sei ein Versöhnler, ein elender Opportunist. Weder Fisch noch Vogel. Dem Teufel eine Mistgabel und dem Herrgott eine Kerze. Jedem wolle ich es recht machen. Es sei kein Verlaß auf mich und so fort. Ich sagte bereits, unsere Freundschaft stand auf wackligen Füßen.
Wir durchschauten natürlich, daß Satan um seine Vorherrschaft rang. Seine Tiraden überzeugten niemand. Aber er hatte nicht ganz unrecht. Pontet war nicht nur originell. Er war auch undurchsichtig. Keiner wußte, ob und wo er arbeitete. Was er trieb, wenn er seinem merkwürdigen Beruf nachging. Er konnte sich doch nicht unaufhörlich Nadeln durch die Backen stecken. Angestellt war er nirgends, aber das konnten wir ihm nicht verargen. Es gab Hunderte von Arbeitslosen. Weder im Handel noch in der Industrie hatte man Verwendung für seinesgleichen. Trotzdem mußte er leben, aber keiner von uns hatte ihn jemals bei etwas Nützlichem ertappt. Doch. Ich war ihm einmal begegnet, aber auch nicht bei einer seriösen Tätigkeit. Ich stand in einer Bedürfnisanstalt und zielte in die Schüssel. Da bemerkte ich einen Riesen neben mir, der ebenfalls unter Druck stand. Er schielte an mir herunter und fragte mit den frommsten Augen der Welt, wie das eigentlich sei mit

den Klassikern des Marxismus-Leninismus. Ich sei ja Spezialist auf diesem Gebiet und könne ihm erklären, ob sie auch pinkeln mußten wie andere Leute, oder ob sie, wie die Heiligen, über solche Lappalien erhaben waren. Ich war beleidigt. Ärgerlich knöpfte ich die Hosen zu und ermahnte ihn, endlich ernst zu werden und zu beweisen, daß die Einwände gegen seine Person unbegründet seien.

Im Mai jenes Jahres bot sich ihm die Gelegenheit. Wir standen kurz vor den Wahlen und wollten zeigen, daß wir nach siebenjährigem Verbot noch lebten. Daß uns die Illegalität nicht schwächer gemacht hatte, sondern stärker.

Für die Rechtsparteien kandidierte ein gewisser Monsieur Ador, ein aalglattes Neutrum, das wir zum Buhmann erkoren hatten. Ohne Grund. Einfach so. Er nervte uns. Er reizte unser Klassenbewußtsein. Seine Visage machte uns krank. Von allen Mauern grinste sein Biergesicht. Sonntäglich und zufrieden, als hätte es keinen Krieg gegeben, keinen Hitler, weder Gasöfen noch Krematorien. Aus seinen Schweinsäuglein glimmte Sorglosigkeit und satter Schwachsinn. Wir waren entschlossen, ihn zu Fall zu bringen.

Wir hirnten hin und her, was wir ihm in die Schuhe schieben könnten, aber nichts Originelles fiel uns ein. Satan kam mit einigen Platitüden. Sie begeisterten keinen von uns:

– Er hat eine Warze auf der Nase. Wir erklären ihn zum Warzenschwein, zur Pustelsau, zum Inbegriff der Herrenkaste. Was meint ihr dazu?

Satan blickte in die Runde, doch niemand wollte sich äußern. Nur der Fakir rümpfte die Nase und fragte, ob das alles sei.

– Es gebe noch andere Argumente, sagte Satan verunsichert. Auf dem Wahlplakat trägt er eine Krawattennadel. Aus Gold und Edelsteinen. Eine Unverschämtheit. Eine Herausforderung für alle Lohnsklaven, die sich nicht einmal ein Paar Schuhe kaufen können. Darüber müssen wir sprechen und mitteilen, auf wessen Kosten er sich herausputzt. Auf unsere natürlich. Wir haben dafür geschuftet. Mit unserem Schweiß und unserer Gesundheit. Ist das besser?

– Mag sein, brummte Pontet, aber lustig ist es nicht.

– Politik ist nicht lustig, fauchte Satan, sondern rücksichtslos. Harte Tatsachen und keine billigen Witze. Von seiner Adresse können wir reden. Er wohnt an der rue des Granges, an der reichsten Straße der Stadt, wo die Grundbesitzer ihre Häuser haben, die Immobilienmakler, die reaktionäre Erbaristokratie. Sie hocken auf ihren Geldsäcken, die jeden Tag größer werden, weil wir zu hohen Mietzins zahlen, weil wir niedrige Löhne bekommen, weil es uns immer schlechter geht. So ist es, Genossinnen und Genossen. Seit 600 Jahren ...

– Alte Klamotten, schnödete der Fakir, weißt du nichts Neueres?

– Non Monsieur, ich weiß nichts Neueres und du?

– Vielleicht schon, aber man hat mich ja nicht gefragt.

– Du bist hier auf Bewährung, verdammt nochmal – du hast zu beweisen, wer du bist und was du kannst. Bei uns wird nicht gemeckert, verstehst du, sondern gearbeitet. Wenn du weißt, wie wir es machen sollen, dann sag es, du Klugscheißer!

– Bitteschön! Samstag nachmittag um zwei. Vor dem Bahnhof Cornavin.
– Was?
– Das werdet ihr sehen.
Wir gingen hin. Zur festgesetzten Stunde, und erlebten einen Schock. Da stand er, unser Fakir, inmitten einer johlenden Menschenmenge, als Heilsarmist verkleidet. Er blies auf einer Posaune wie ein Clown, und dazwischen hielt er kurze Ansprachen, wobei er immer auf das Wahlplakat deutete, das hinter ihm prangte. Er verdrehte seine Augen. Er faltete seine Hände. Seine Stimme bebte vor Ergriffenheit und er predigte mit steinerweichender Innigkeit
– Ich ermahne euch, meine Brüder und Schwestern. Seid ohne Haß und ohne Bosheit. Betet mit mir und öffnet eure Herzen für die Mühseligen und Beladenen. Schaut euch den Mann auf diesem Bild an. Ihr werdet ihn abstoßend finden, stumpf und widerwärtig. Aber dieser Mann will der Gemeinschaft dienen, und darum braucht er eure Zuneigung. Er hat eine Warze auf der Nase. Seine Haut ist fett und käsig. Ist das eine Sünde? Er hat die Haut der Unglücklichen, die üppig essen. Müßt ihr ihn deswegen verabscheuen? Warum schlemmt er denn, meine Freunde? Stellt euch die Frage, und ihr werdet begreifen. Er schlemmt, weil er einsam ist. Weil ihn niemand liebt. Aus Verzweiflung frißt er zuviel. Gebt ihm euer Vertrauen, und er wird abmagern.
Die Menge tobte vor Vergnügen, und Pontet fuhr fort in seiner Predigt:
– Und hütet euch vor dem Vorurteil, meine Brüder und Schwestern. Urteilt nicht voreilig! Er trägt eine Krawat-

tennadel aus Gold und Brillanten. Ihr denkt, dieser Mensch sei schamlos und hochmütig, aber das Gegenteil ist der Fall. Dieser Mensch hat mehr Kummer als wir alle. Wer viel hat, der kann viel verlieren. Wer andere führt, trägt mehr Verantwortung. Erbarmt euch dieses Menschen, der seinem Volk dienen will. Erbarmt euch seiner Sorgen. Er spekuliert an der Börse. Er setzt sein Vermögen auf dem Spieltisch ein. Er wagt seinen Ruf in der Politik, jawohl, aber wer hoch hinaufklettert, stürzt manchmal tief hinunter und bricht sich dabei das Genick.
Der Fakir machte eine Kunstpause, die Menge brüllte vor Lachen. Pontet schien plötzlich unendlich traurig. Er wartete ab, bis es ruhig wurde um ihn herum. Dann steuerte er auf den Höhepunkt los.
– Und wo wohnt er, der arme Sünder? An der rue des Granges. In einem Palast, wo die Schritte widerhallen. Wo die Einsamkeit doppelt lastet. Wo es spukt in der Nacht. Wo es – seit 600 Jahren – kalt ist wie in einem Keller. Sein Haus ist zu groß. Es läßt sich gar nicht heizen. Der Wind bläst ihm durch die Knochen. Sogar die Gespenster husten und niesen und klappern mit den Zähnen. Habt doch Mitleid mit ihm! Er schlottert vom Morgen bis zum Abend. Vor Kälte und Angst um sein Eigentum, denn ihr wißt ja. Die Welt ist voll Spitzbuben und Schurken, voll Räubern und Banditen. Ich rufe euch auf, liebe Mitmenschen – jetzt holte er eine Sammelbüchse hervor –, ich bitte euch aus übervollem Herzen: Wirket mit bei der guten Sache! Ein Mensch will uns dienen. Gebt ihm, was er verdient!
Die Leute spielten mit. Sie verstanden den Witz des Fakirs und Hunderte von Franken flogen in die Sammel-

büchse. Wir hatten den Grundstock für unsere Kampagne.
Das war ein guter Anfang. Pontets Ansehen wuchs proportional zur Eifersucht unseres Leithammels. Sein Auftritt als Heilsarmeesoldat hatte eingeschlagen. Doch die Sache ließ sich nicht wiederholen. Ein zweites Mal wäre die Polizei gekommen und hätte ihn eingesperrt. Wir brauchten einen Slogan. Einen unfehlbaren Wahlschlager, der uns zum Triumph führen würde. Pontet wußte Rat:
– Wir versauen ihm den Namen, schlage ich vor. An Stelle des spitzen A setzen wir ein rundes Q. Dann heißt er nicht mehr Ador sondern Qdor – das spricht sich Küdor, und er hat den Namen, den er verdient: Goldarsch. Auf alle seine Plakate kleben wir die Aufschrift WÄHLT GOLDARSCH, DAS WARZENSCHWEIN! Ihr werdet sehn. Das trifft ins Schwarze.
Die Idee war so primitiv, daß sie faszinierte. Wir beschlossen, zehntausend Krawattennadeln herzustellen – aus Messing und Glas – und unsere Losung einzugravieren: WÄHLT GOLDARSCH, DAS WARZENSCHWEIN!
Wir verkauften sie zu fünf Franken das Stück, und alles ging gut, bis uns Ador verklagte. Der Verkauf wurde untersagt, was uns an den Rand der Pleite führte. Es blieben 4000 Exemplare, die 20 000 Franken eingebracht hätten, genau so viel wie wir brauchten, um die Schulden zu bezahlen. Satan jubilierte: »Ich habe euch gewarnt vor diesem Kerl. Jetzt habt ihr die Bescherung«. Aber Pontet ließ sich nicht erschüttern: »Verbotene Früchte schmecken süß, versicherte er, wir gehen trotzdem auf die Straße!«
Wir verteilten uns über den place du Molard. Wieder an

einem Samstag, als die halbe Stadt durch die Einkaufsviertel strömte. Wir verkauften »den Reißer des Jahres – den polizeilich verbotenen Herrenschmuck«. Pontet hatte recht. Die behördliche Verfügung machte unseren Ramsch erst begehrenswert. Krawattennadeln waren zur großen Mode geworden. Wir waren ein Dutzend Straßenhändler, aber man sah nur den Fakir. Weil er so groß war. Weil er eine Stentorstimme hatte, und vor allem: Sinn für Humor. Wir hatten keinen. Im Gegenteil. Plötzlich knatterten Motorräder herbei. Zwei Uniformierte stürzten sich auf Pontet, der seinen Schlapphut voller Krawattennadeln in den Händen hielt. Der eine schrie:
– Was wird hier verkauft: vorzeigen, aber sofort!
Da verbarg Pontet den Hut hinter seinem Rücken und erwiderte katzenfreundlich: »Kanarieneier und Rosetten der Ehrenlegion.« Die Menge krähte vor Vergnügen. Der Polizist wurde himbeerrot und kreischte:
– Vorzeigen, was Sie im Hut haben, sonst nehmen wir Sie mit.
– Nichts, erwiderte der Fakir, die Kanarieneier sind verkauft, die Rosetten verteilt und der Hut ist leer. Übrigens. Was soll ich im Hut haben? Haben Sie etwas im Hut?
Zweiter Heiterkeitsausbruch der Menge, die immer zahlreicher wurde. Der andere Ordnungshüter legte die Hand auf die Pistolentasche und zischte:
– Hut her, oder Sie werden es bereuen!
Da zeigte Pontet seine Kopfbedeckung, doch sie war leer. Nichts war zu sehen, obwohl noch vor einem Moment ein paar hundert Krawattennadeln darin gefunkelt hatten. Das war zuviel für den Bullen. Er schaute hinein.

Nahm den Hut in seine Hand. Schüttelte, drehte ihn um, aber vergeblich. Eine peinliche Angelegenheit. Entweder hatte er Erscheinungen, oder er war das Opfer eines Hexenwerks, das er nicht durchschauen konnte. So blieb ihm nichts übrig, als dem Kollegen einen Wink zu geben, kehrt zu machen und in einer Seitengasse zu verschwinden. Kaum war er weg, spuckte Pontet auf den Rand seines Sombreros, und die Krawattennadeln waren wieder da. Sie blitzten in der Abendsonne wie der Schatz der Sierra Madre, und darauf stand geschrieben:

WÄHLT GOLDARSCH, DAS WARZENSCHWEIN

Der Fakir verkaufte jetzt das Stück zu zehn Franken. Der Andrang war beispiellos. Doch da kreuzte der gleiche Polizist aus der entgegengesetzten Richtung auf. Er schnellte herbei wie ein Floh und schrie schon aus der Ferne:

– Hut her oder ich schieße.

Pontet verneigte sich tief, zeigte seine Kopfbedeckung. Sie war leer. Er hatte gewonnen. Noch einmal. Es schien, daß er immer gewinnen mußte. Dieser Mensch wurde uns unheimlich, und Satan murmelte: Die Sklaven seufzen unter ihren Ketten, doch euer Schaumschläger spielt den Hanswurst. Ihr werdet euch meiner erinnern: auf dem Nagelbrett werden wir enden, alle zusammen!

Die weiteren Ereignisse würden anders verlaufen sein, bedeutend undramatischer, wenn nicht Mila dazwischengekommen wäre. Mila. Die verwirrende Freundin unseres Leithammels. Aber so ist es im Leben. Die Weiber mischen sich ein, und es passieren Dinge, die keiner für möglich gehalten hätte. Es dämmerte jene Maiennacht, die für Pontet zur eigentlichen Prüfung wurde.

Nur noch drei Tage trennten uns von den Wahlen, und wir klebten auf alle Adorplakate unsere Aufschrift: WÄHLT GOLDARSCH, DAS WARZENSCHWEIN! Mila war auch dabei.
Sie war eine Hexe mit rotblondem Haar und grünen Augen. Solche Augen sollte man verbieten in der Arbeiterbewegung. Auch solches Haar wie ihres. Es reichte ihr bis unter die Hüften. Ehrenwort. Man erzählte, in Jugoslawien sei sie manchmal am Strand gelegen, splitternackt, und hätte sich nur mit dem Haar zugedeckt. Ich bin überzeugt, daß sie selber solche Gerüchte verbreitete, um uns die Köpfe zu verdrehen. Sie sei bei den Partisanen gewesen, die Geliebte des Generals, hieß es, habe Heldentaten vollbracht, bis sie eines Tages, im Bajonettkampf niedergestreckt, durchs Rote Kreuz in die Schweiz gebracht und von einem berühmten Chirurgen gerettet worden sei. Mehr wußten wir kaum über sie und auch das nicht mit Gewißheit. Alles andere malten wir uns aus. Wie die Wellen an ihren Knöcheln leckten und die Sonne an ihren Brüsten. Neben ihr lag die Knarre im Anschlag – ein irres Bild oder etwa nicht – und der Stahlhelm im Sand. Wir träumten von einer neuen Welt und dachten an ihre Augen. Wir sprachen vom Sozialismus und meinten ihren Bauch und ihre Schenkel.
In jener Maiennacht war sie also dabei. Sie verteilte Kleister und Pinsel, damit wir die Losungen kleben konnten. Jedem gab sie, was er brauchte, und jedem schaute sie besonders tief in die Seele hinein. Mit einem Augenaufschlag, den man nie vergessen konnte. Sie war zwar die Gefährtin unseres Leithammels, aber jeder glaubte zu verstehen, daß sie den Tapfersten belohnen

wollte. Auch ich hatte solche Illusionen. Ich malte mir aus, wie süß es sein würde in ihren Armen, und war entschlossen, mich selbst zu übertreffen. Leider hatte ich Pech. Ein anderer wurde belohnt.

Pontet war mit zwei Koffern erschienen. Wir fragten nicht, was darin sei, denn wir hatten ja vereinbart, daß er die Druckerzeugnisse mitbringen würde. Er klaubte ein Schlüsselchen aus der Tasche, öffnete den größeren der zwei Koffer und gab jedem von uns zwanzig Exemplare. Was übrigblieb, behielt er für sich. Mila gab auch ihm einen Topf Kleister und einen Pinsel dazu. Sie blickte ihm in die Augen. Vielleicht etwas länger als uns, und zwinkerte dabei ganz unauffällig, was sie bei den anderen nicht getan hatte.

Der Schauplatz der nun folgenden Ereignisse heißt Plaine de Pleinpalais, ein großer Spiel- und Rummelplatz in der Mitte von Genf. Es gab da Dutzende von Buden und Ständen, an denen tagsüber geramscht und gejahrmarktet wurde. Doch jetzt war es zwei Uhr morgens. Aller Stadtlärm war längst verstummt. Einige von uns kleisterten beim Ausstellungspalast. Andere am Rond Point. Der Fakir pinselte hinter dem protestantischen Tempel, einsam, fleißig und lautlos. Ein zarter Nebel kroch durch die Straßen. Man hörte eine Nachtigall schluchzen. Ich fragte mich, wo Mila wohl sein mochte. Hinter einem Fliederbusch? In einer Schießbude? Zwischen den Säulen der Kirche, wo Pontet seine Losungen klebte. Wir hatten beschlossen, daß sie Wache stehen und uns warnen würde, wenn etwas passieren sollte. Insgeheim hoffte jeder auf einen Zwischenfall, auf ein Abenteuer, bei dem er beweisen könnte, was für ein Mann er sei. Plötzlich schrillte ein Pfiff durch die

Nacht. Unser Traum ging in Erfüllung. Jeder verbarg, wie abgemacht, den Pinsel unterm Hemd, rollte die Aufschriften zusammen und brachte den Kleistertopf in Sicherheit. Ein zweiter Pfiff schrillte durch die Stille. Wir warfen uns auf den Rasen und krochen in Deckung. Die Warnung war begründet. Ein Auto rollte herbei. Ein Streifenwagen mit blauem Blinker und grellen Scheinwerfern. Wir begriffen sofort. Jemand hatte uns bemerkt und angezeigt. Nun kamen sie, um uns das Handwerk zu legen. Sie fuhren langsam am Rond Point vorbei, mußten aber feststellen, daß die Straßen leer waren. An den Häuserfassaden prangten die Plakate und auf den Plakaten unsere Losung. Das war eine Tatsache. Das sah man sogar in der Nacht. Wir aber hatten uns in Luft aufgelöst. Mit einer Ausnahme: Pontet. Er stand mitten auf der Straße, vor dem protestantischen Tempel, einen Schlapphut auf dem Kopf und zwei Koffer neben sich. Als wollte er verreisen. Das war stark. Wir hatten doch beschlossen, daß alle – sobald Mila das Zeichen gäbe – sofort zu verschwinden hätten. Aber der Fakir furzte ja auf unsere Beschlüsse. Das hatte er gleich zu Anfang bekanntgegeben, und Satan triumphierte:

– Was habe ich gesagt? Dieser Tropf spitzelt für die Polizei, aber ihr wollt einen Helden aus ihm machen. Jetzt habt ihr das Geschenk. Aufs Nagelbrett wird er uns legen, alle miteinander und dich inbegriffen, du intellektuelle Seifenblase!

– Er spitzelt doch nicht für die Polizei, gab ich zurück, er will uns bloß imponieren.

In der Tat. Er inszenierte seinen großen Auftritt. Es war stockfinster. Am Himmel gab es weder Mond noch

Sterne, aber Pontet hatte eine Beleuchtung wie der Heldentenor an der Mailänder Scala. Der Streifenwagen war stehengeblieben. Der Motor wurde abgestellt, doch die Scheinwerfer sorgten für Rampenlicht. Zwei Gendarmen stiegen aus, und es begann ein Terzett, das dem Fakir den Erfolg seines Lebens brachte. Nicht bei uns, wir rasten vor Eifersucht. Die zwei Beamten sahen aus wie im Kasperletheater. Der eine rund und klein. Der andere dünn und groß. Der Magere hatte eine Fistelstimme. Der andere schien zu gurgeln und eröffnete die Szene mit den Worten:

– Was machst du da?

Der Fakir nahm seinen Hut vom Schädel und boxte einen Krater in dessen Wölbung.

– Ich hab gefragt, was du da machst, wiederholte der Kleine.

– Ich warte auf die Straßenbahn, entgegnete Pontet mit der vergnügtesten Stimme der Welt, und du?

– Bist du besoffen, Knabe? Um halb drei Uhr morgens? Auf die Straßenbahn? An einer Straße, wo es keine Schienen gibt und kcine Haltestellen. Und außerdem: was fällt dir ein, mich zu duzen?

– Du duzt mich ja auch, Liebling. Wir finden uns einfach sympathisch, und darum sind wir nett zueinander.

Der Dünne machte nun zwei Schritte auf Pontet zu und fistelte ihn an:

– Dich hab ich schon wo gesehen, Mensch. Paß mal auf, was du da redest!

Darauf Pontet:

– Und dich hab ich noch nirgends gesehen, mein Schatz. Ich kenne dich nicht und rate dir, Abstand zu

halten, denn du duftest aus dem Mund.
Der Fakir war eindeutig zu groß. Man konnte ihm keine runterhauen, weil das technisch nicht machbar war. So blieb es beim Wortgefecht, das leider nie aufgeschrieben wurde. Es mochte etwa folgendermaßen getönt haben:
– Du wartest also auf die Straßenbahn, sagst du?
– Ich habe Zeit.
– Mit zwei Koffern?
– Wenn nötig bis morgen früh.
– Was hast du denn drin in den beiden Koffern?
– Privatsache!
– Dann wollen wir mal hineingucken.
– Ich sagte schon: Privatsache. Da könnt ihr nicht hineingucken.
– Wir können alles, Junge. Mach die Koffer auf, aber husch!
– Nein, danke.
– Zum letzten Mal: tu, was dir befohlen wird!
– Ich bin ein Sonderling, mein Lieber. Ich tue nie, was mir befohlen wird.
– Wenn du nicht aufmachst, schieß ich dich über den Haufen.
– Schlechte Idee, Onkel. Ich habe 20 Zeugen.
– Wo sind denn deine 20 Zeugen?
– Privatsache, aber nicht weit von hier.
– Ich zähle auf drei. Dann knallt es.
– Da! Kannst selber aufmachen.
Pontet gab dem Hageren ein Schlüsselchen und zündete sich eine Zigarette an. Während der Dünne aufsperrte, hielt der Dicke Ausschau nach den zwanzig Zeugen, die ihm offenbar in die Knochen gefahren waren. In diesem

Moment klickte das Schloß. Die Bullen klappten den Deckel auf, leuchteten hinein und schlugen ihn – eine Zehntelsekunde später – wieder zu.
Ich hatte schon Verschiedenes gesehen, aber das war einzigartig. Das war der Zusammenbruch der Schwerkraft. Die Kerle blitzten empor, quirlten in die Luft, drehten sich um die eigene Achse und sausten in ihren Streifenwagen zurück, mit dem sie davonrasten. Pontet paffte gemütlich an seinem Stengel. Er wartete, daß wir kommen würden, und wir kamen. Alle zwanzig. Mila zuerst. Sogar Satan war überwältigt und vergaß, den Fakir für seine Disziplinlosigkeit zu rügen. Jetzt belagerten wir ihn. Wir wollten wissen, was eigentlich passiert war. Was war im Koffer?
– Ihr wollt mir ja nicht glauben, daß ich ein Fakir bin.
– Sag was im Koffer ist!
– Zwei Brillenschlangen, sonst nichts.
Die Hochzeit fand drei Monate später statt. Ende Juli desselben Jahres. In der russischen Kirche, denn Mila wollte orthodox getraut werden. Nicht daß sie besonders fromm war, aber wenn man einen Fakir heiratet, kann ein kirchlicher Segen nichts schaden. Alle Genossen waren anwesend, gebrochenen Herzens. Satan erschien aus Protest in einer Turnhose und gelbem Ruderleibchen. Auch Pontet war da, er war schließlich der Bräutigam, sowie seine mannstolle Mutter, die tagsüber auf einem Dampfschiff servierte. Zur Feier des Tages trug sie einen schwarzen Strohhut mit goldenen Bändern. Ich befand mich ebenfalls unter den Leidtragenden und wunderte mich, warum die Braut fehlte. Alle wunderten sich, besonders der russische Pope. Er

sagte, er habe schon allerlei Leute getraut, aber noch nie einen Bräutigam ohne Braut. Wir warteten eine viertel, eine halbe, eine dreiviertel Stunde. Unsere Schadenfreude wuchs. Mila kam nicht. Jeder von uns schöpfte neue Hoffnung. Frau Pontet aber fing an zu schwitzen. Sie sprayte sich unter den Achseln und zog nervös ein Seidentüchlein aus dem Brustausschnitt. Wir jubilierten innerlich, und der Fakir haßte uns entsprechend. Er war selber schuld. Er hatte uns das Wasser abgegraben in jener Maiennacht. Mit seinen zwei Koffern und den Brillenschlangen darin. Hörner hatte er uns aufgesetzt, jedem einzelnen von uns – und dem Satan ein ganzes Geweih.

Mit fünfundfünfzig Minuten Verspätung traf Mila ein. Sie trat in die Kirche, strahlend wie ein Sommermorgen, und lächelte selig. Pontet fragte tonlos, wo sie herkomme. Aus dem Zirkus, Louis. Ich habe mich totgelacht.

Da geschah etwas, das seit dem berühmten Schisma von Konstantinopel in keiner orthodoxen Kirche passiert ist. Pontet versetzte Mila eine Ohrfeige, daß sie gegen das Taufbecken taumelte. Die Orgel fing an zu spielen, und der Pope fragte, ob Fräulein Mila Stankowitsch bereit sei, Herrn Louis Pontet zum Mann zu nehmen. Da griff sich das Mädchen ins rotblonde Haar und riß sich die Perücke vom Kopf. Sie stand da, glatzköpfig, jämmerlich, mit einer schrecklichen Narbe am Schädel und sagte sehr ruhig: »Dankeschön, ich verzichte auf das Vergnügen.« Noch am selben Tag kehrte sie zu Satan zurück, womit der Zweikampf der beiden Giganten sein Ende gefunden hatte.

Seit jenen Geschehnissen gingen die Jahre ins Land. Wir

alle sind ergraut. Wir alle fanden mehr oder weniger plausible Gründe, dem Kommunismus den Rücken zuzukehren. Satan ist heute Direktor eines multinationalen Konzerns. Pontet wurde Inhaber eines exklusiven Nachtklubs. Mila hat einen Diplomaten geheiratet und lebt irgendwo in Südamerika. Goldarsch – das war vorauszusehen – ist bei den Wahlen durchgefallen. Er zog sich ins Börsengeschäft zurück. Nur ich habe keine Karriere gemacht. Ich bin geblieben, was ich war: ein verdammter Versöhnler. Dem Teufel eine Mistgabel und dem Herrgott eine Kerze.

Koklüsch und die Macht

Ich schrieb damals meine Doktorarbeit »Über die Rolle großer Gestalten in der Weltgeschichte«. Ich wollte beweisen, daß die Marxisten recht haben mit ihrer Theorie, jeder Held sei der Vollstrecker historischer Gesetze. Ich glaubte an das Wirken von Zwangsläufigkeiten. Ich war überzeugt, daß es keine Zufälle gibt und alles so kommt, wie es kommen muß. Ich las zahllose Bücher. Ich schrieb Tag und Nacht und verpflegte mich bei Madame Bigler, wo ein gewisser Gaston der hervorstechendste Kostgänger war. Wenn dieser Kerl neben seiner Freundin saß – sie hieß Mireille –, konnte man erraten, daß ihm die Zeit nicht lang wurde. Weder bei Tag noch bei Nacht. Meines Erachtens war er etwas einfältig, aber schlagfertig wie ein Maschinengewehr. Er war Hilfsmechaniker bei Gardi & Co. Eine Lehre hatte er nicht absolviert. Weder Kunst noch Wissenschaft belasteten sein Gemüt. Dafür konnte er reden. Zwar immer über die gleichen Gegenstände, doch in tausend Variationen. Am häufigsten ging es um Klassenkampf. Genauer gesagt um seinen Klassenkampf gegen einen gewissen Flury aus Solothurn, der Vorarbeiter war und trotz seiner bald zwanzig Jahre in Genf noch kaum französisch sprach.

Den Patrons ist das egal, sagte Gaston, solange er hinter uns herschnüffelt und den Zuträger macht für die Betriebsleitung. Ein idealer Kettenhund, denn er findet keine Frau, die mit ihm ins Bett will. Ich meine unentgeltlich und freiwillig. Und weil er geizig ist, vergnügt er

sich allein. Das kommt billiger. Am nächsten Morgen hat er Kopfweh und verpfeift uns beim Personalchef, um sein Gewissen zu erleichtern. Dabei müßte er nur früher aufstehn und zur Beichte laufen, aber auch das kann er nicht, dieser Filzwurm.
Das waren ungefähr die Nachhilfestunden, die er mir erteilte in Sozialwissenschaft und Menschenkunde. Jeden Tag zwischen Salat und Bratkartoffeln. Es entspannte ihn, Flury zur Sau zu machen. Wenn er sich sein Plansoll von der Leber geschimpft hatte, fühlte er sich besser und witterte das Morgenrot der Revolution. Niemand von uns kannte Flury, aber Gastons Erzählungen würzten den Galgenfraß, den Madame Bigler auf den Tisch stellte. Flury wurde zum Inbegriff des Klassenfeindes.
– Am großen Abend, schloß Gaston eine seiner Konzertarien, wenn die Patrons ihr Brot als Kanalputzer verdienen und unsere Fabriksirene die Internationale heult, wird Flury einbalsamiert und ausgestellt im naturhistorischen Museum, als warnendes Beispiel für alle Arschkriecher der Welt!
Gaston besaß ein Rennvelo und eine bereits erwähnte Braut, die er Mimi nannte. Das Rennvelo war damals kein Fahrzeug an sich, sondern ein Prestigesymbol. Der berühmte Ferdi Kübler war gerade Straßenweltmeister geworden, und alle Schweizer sahen in ihm die Verkörperung ihrer zu kurz gekommenen Träume. Gastons Rennvelo war verchromt und blitzblank. Es besaß zehn Gänge und einen Geschwindigkeitsmesser, der ziemlich überflüssig war, weil Gaston sein Fahrrad kaum je zum Fahren benutzte. Er liebte es, sein Eigentum spazierenzuführen. Die linke Hand auf der Lenkstange, die

Rechte um die Hüfte seines Mädchens, drängte er sich jeden Mittag durch das Menschengewimmel. Gemächlich und verliebt schlenderten die beiden durch die Stadt. Vom Kino Alhambra, wo Mireille an der Kasse saß, bis zur Pension Bigler an der rue de Carouge. Niemand konnte begreifen, wie Gaston zu seinem Glück kam. Dieses Mädchen war ein Engel. Sie hatte eine blütenweiße Haut, ein Schönheitsfleckchen am Kinn und blaue Äderchen an der Schläfe. Manchmal, wenn ihr jemand zu nahe trat, zog sie Luft ein, ließ die Nasenflügel erbeben und schoß einen ihrer Wortpfeile ab, der unvermeidlich ins Schwarze traf. In solchen Augenblikken war sie Spitzenklasse, und alle – ich natürlich auch – mißgönnten Gaston den Edelstein, den er unseres Erachtens gar nicht verdiente. Was hatte er mehr als wir? Einen schütteren Schnurrbart und gelbe Schnittlauchsträhnen, die ihm in den Nacken hingen. Ein loses Maul und keine Spur von Finesse. Er war eine Vorstadtschnauze. Er glaubte an die Überlegenheit der Muskelkraft, weil er nichts anderes kannte. Das machte Eindruck auf Mireille. Flury war ihm gleichgültig. Den Personalchef übersah er. Nicht einmal Madame Bigler imponierte ihm, und das erhöhte ihn in den Augen des Mädchens zum Herzkönig im Kartenspiel der Liebe. Gaston war ein Realist. Er glaubte nur, was er sah. Die Rätsel des Lebens machten ihm keine Sorgen: die Proletarier werden immer zahlreicher, darum müssen sie siegen. Der Konkurrenzkampf verzwistet die Patrons und führt sie zum Untergang. Der Sozialismus folgt auf den Kapitalismus wie die Sonne auf den Regen. Der Krug geht zum Brunnen, bis er bricht. Zwei mal zwei sind vier. Wer daran zweifelt, ist verrückt. Von diesen

Leitsätzen war er überzeugt. Ich ebenfalls, aber nicht so felsenfest wie er. Darum hatte ich weniger Erfolg bei den Frauen als Gaston, der eine eiserne Gewißheit ausstrahlte. Er war ein Glückspilz. Ich nicht.
An jenem Tag kam er herein, gefolgt von Mimi, die sich noch die Nase puderte im Vorzimmer. Er schnupperte und stellte fest, daß es roch wie alle Tage: nach feuchtschimmligen Tischdecken und verkochtem Blumenkohl. Er blieb stehen zwischen Türe und Quertisch, schneuzte sich die Nase und verkündete trocken:
Nächsten Montag gibt es ein Erdbeben in Genf. Mit Wetterleuchten und Blutwurst!
Die Pension Bigler war keine Pension im üblichen Sinn dieses Wortes. Eher eine Speiseanstalt dritter Klasse. Sie erfreute sich aber – Gott weiß warum – eines wachsenden Zulaufs aus den verschiedensten Bevölkerungsschichten. Die Gäste teilten sich in Fraktionen. Wie ein Parlament. Sie schimpften alle gegen die Regierung – im konkreten Fall gegen Madame Bigler –, doch sonst waren sie sich spinnefeind. Neben den Linken, zu denen auch ich gehörte und Gaston und ein Dutzend anderer Weltverbesserer, gab es eine Gruppe kaufmännischer Angestellter, die sich durch besonders fade Mäßigung auszeichneten. Beim Fenster saßen die Anarchisten, die demonstrativ ungewaschen, ungekämmt und unrasiert auftraten. Sie erklärten, mit unseren Parteigötzen seien wir noch obrigkeitshöriger als die Pfaffen, und sie hatten recht. Es gab auch eine Handvoll Vegetarier. Sie verweigerten den Kriegsdienst, predigten Gewaltlosigkeit, kämpften gegen Tabak und Alkohol und tranken Wasser, bevor sie sich zu ihrem Haferbrei setzten. In der Mitte hockten die Deutschschweizer. Man nannte sie

Sonntagsficker, denn sie kauten still vor sich hin, eine schweigende Mehrheit, die uns befremdet anstaunte und stets fürchtete, von irgendeiner Minderheit mitgerissen zu werden. In Wirklichkeit waren sie äußerst neugierig. Sie kamen, um sich sattzuhören und Dividenden einzustreichen auf dem Ideenmarkt der Pension. Sie waren die Vorzugskunden der Madame, weil sie termingerecht zahlten, sich kaum jemals ereiferten und nie an einer Diskussion teilnahmen. Sie sagten, sie hätten Schwierigkeiten mit der Sprache. In Wirklichkeit verstanden sie jedes Wort, und als Gaston ankündigte, es gebe ein Erdbeben in Genf, fragte einer erschrokken:

– Was für ein Erdbeben und warum am Montag?

Gaston setzte sich bedeutungsvoll an seinen Platz und teilte mit, daß im Kino Alhambra eine Giftsuppe gebraut werde, eine Filmpremiere gegen das neue China. Hitler sei noch nicht kalt im Grab, und schon schlagen sie wieder die Hetztrommel. Ein Propagandadreck unter dem Titel »Die gelbe Gefahr«. Wer gefährdet uns, Kameraden? Fühlt sich hier jemand angegriffen? Oder will man uns einreden, unsere Freiheit sei bedroht, weil es in China keine Unternehmer mehr gibt? Und keine Vorarbeiter? Und keine Aktiengesellschaften? Was bin ich denn hier? Eine Seifenblase bin ich, und das einzige Recht, das ich habe, ist zu platzen. Ich scheiße auf diese Freiheit!

– Sei doch froh, keifte ein kaufmännischer Angestellter, daß du noch scheißen darfst auf unsere Freiheit. Das beweist, daß du sie hast. Geh doch mal nach China und sag dort ein Wort gegen ihre Ordnung. Wenn du überlebst, fahr ich auch hin und werde Chinese.

– Auf dich warten die gerade, höhnte Gaston, aus solchen Roßäpfeln macht man dort Naturdünger.
– Weil ihr den Schnupfen bekommt, wenn einer anders denkt als euresgleichen.
– Denken darf jeder, was er will. Aber nicht die Umwelt verschmutzen mit reaktionärem Unrat.
– Deshalb habt ihr den eisernen Vorhang. Zur Reinhaltung der kommunistischen Stickluft. Und daß die Welt nicht erfährt, wie ihr Naturdünger macht aus euern Gegnern.
Jetzt wurde es ungemütlich, doch glücklicherweise erschien Madame Bigler mit einer Porzellanschüssel voll Zwetschgenkompott, und der heilige Krieg wurde unterbrochen.
Am nächsten Morgen prangten Plakate von allen Reklamesäulen der Stadt: DIE GELBE GEFAHR oder DER UNTERGANG DER WEISSEN RASSE. Premiere im Kino Alhambra, am 4. Oktober 1950.
Diese Premiere mußte verhindert werden. »Gelbe Gefahr« – »Weiße Rasse«. Das waren Reizwörter, die man kannte. Gewöhnliche Völkerhetze war das, und wir mußten etwas unternehmen.
Als erstes boten wir das »Stahlbataillon« auf – einen Stoßtrupp erprobter Raufbolde, mit tätowierten Armen und steinernen Fäusten. Treue Klassenkämpfer mit niedriger Stirn und furchtgebietendem Unterkiefer. Sie erhielten die Aufgabe, einsamen Passanten aufzulauern und ihnen Ziegelsteine feilzubieten. Das Exemplar zu zehn Franken, wobei eine Ablehnung kaum ratsam schien. Das Ziegelgeschäft lief prächtig. Wenn ein nächtlicher Heimkehrer fragte, was man mit dieser Ware denn anfangen solle, antworteten die Kerle:

– Mitnehmen, Monsieur. Als Eintrittskarte zur GELBEN GEFAHR. Premiere am Montag, im Alhambra. Sie wissen doch. Das Kino mit der verglasten Vorderfront.
Die Idee stammte von Gaston. Sie besaß alle Vor- und Nachteile seiner beschränkten Intelligenz. Der Vorteil bestand darin, daß wir einen Mordsspaß hatten. Der Nachteil in der Tatsache, daß wir für den Film eine unbeabsichtigte Reklame machten. Der kleine Mann horchte auf. Fühlte sich bedroht. Nicht von der amerikanischen Premiere, sondern durch unsere Ziegelsteine. Nun glaubten die Leute wirklich an eine Gefahr. Nicht an die gelbe, sondern die rote.
Wir konnten tausendmal beteuern, unsere Aktion ziele gegen die Kriegshetze; die paar Backsteine seien Himbeeren im Vergleich mit dem Atomregen, falls es noch einmal losginge. Unser Ruf war hin. Wir setzten brave Mitbürger unter Druck. Wir stachelten öffentlich dazu auf, die Scheiben eines Kinos einzuschlagen. Wir wollten erwachsene Schweizer daran hindern, einen Film anzuschauen und sich ihre eigene Meinung zu bilden. Die erste Runde hatten wir verloren, und was wir vermeiden wollten, war eingetreten: das Kino war ausverkauft. Wenn da nicht Mimi gewesen wäre, hätten wir auch die zweite Runde verspielt. Aber gottseidank gab es Mimi!
Mireille hatte einen Einfall, der sich in der Folge als Götterfunke herausstellte. Es war ihr gelungen, für ihre Zwecke zwei Eintrittskarten sicherzustellen. Eine für Gaston. Die andere für einen gewissen Koklüsch, was auf deutsch Keuchhusten bedeutet. Koklüsch war ein Veteran des Radsports. Bereits über siebzig. Bekannt wie ein falscher Groschen und ewige Zielscheibe wohl-

gemeinter Witze von jung und alt. Jeder duzte ihn. Jeder zog ihn auf, denn er war debil und gab den ungereimtesten Blödsinn von sich, der sofort weitererzählt wurde und als Schlager des Tages zirkulierte. Er hatte ein Ziegengesicht mit dünner Nase und fliehendem Kinn. Seine Stimme glich dem Kreischen einer Kreissäge. Er sprach nicht, er keuchte, in asthmatischen Fetzen, als lache er Tränen, was er manchmal auch tat. Das kam selten vor, wenn es aber vorkam, brach es herein wie ein Naturereignis und verbreitete sich wie die Lustseuche. Dabei muß gesagt werden, daß er von unerreichter Humorlosigkeit war. Auf hundert Späße verstand er einen: den dümmsten. Es gab ein paar Schlaumeier in Genf, die wußten, wie man ihn andrehte. Einer von ihnen war Gaston.

Am Samstagnachmittag fand in La Capite ein Amateurrennen statt. Zum Gaudium der Sportfreunde war auch Koklüsch am Start. Er trug wie immer seine grüne Clubmütze auf dem Kopf und hoffte auch diesmal, als schlechtester Fahrer einen Trostpreis zu gewinnen. Seine Hoffnung ging in Erfüllung. Er schwitzte als Letzter durchs Zielband und bekam das »goldene Schlußlicht«, mit dem er die Ehrenrunde fahren durfte. Vor der Tribüne stand Mireille, als Ehrenjungfrau bekleidet, und überreichte dem Armen einen Briefumschlag mit dem besagten Kinobillet. Sie küßte ihn auf beide Wangen. Das Publikum raste vor Begeisterung und Gaston beglückwünschte ihn mit der Einladung, morgen um halb acht auf ihn zu warten. Vor dem Kino Alhambra. Es gebe ein Fest für ihn.

Koklüsch war schwachsinnig, aber man konnte sich auf ihn verlassen. Zum festgesetzten Zeitpunkt erschien er

vor dem Kino und wunderte sich, warum so viele Polizisten anwesend seien. Gaston erwiderte wahrheitsgetreu: »Wegen der gelben Gefahr, verstehst du? Die ist nämlich ansteckend, und hinterläßt Rostflecken, die man nicht mehr wegbringt. Nicht einmal chemisch. Darum gibt es jetzt so viele Fälle von Gelbsucht in der Schweiz, tu comprends?«
Koklüsch nickte. Er schien zufrieden. Gaston ebenfalls, und beide Männer betraten den Saal, wo eine dreifache Kontrolle stattfand. Alles, was Namen hatte und Rang, war herbeigeströmt. Natürlich auch Flury, der vielgehaßte Vorarbeiter, der seit zwanzig Jahren zum ersten Mal ins Kino ging. Er setzte sich zwei Reihen schräg hinter Gaston und schielte wachsam zu ihm hinüber, als wüßte er, was gespielt wurde.
Zuerst kam die Reklame. Dann die Voranzeige des nächsten Filmes. Gaston kaufte Schokoladenkugeln und teilte sie mit Koklüsch, der sich ungemein nobel vorkam und meinte, er gehöre zur Prominenz. Um Viertel vor acht gingen die Lichter aus. Man zeigte die Wochenschau: die englische Königsfamilie auf einer Hundeausstellung. Eine Schiffskatastrophe an der schwedischen Küste. Das Pferderennen in Longchamps und eine Schönheitskonkurrenz in Las Vegas. Punkt acht erdröhnte der Gong. Es war soweit. Die gelbe Gefahr konnte beginnen. Schauerliche Musik rieselte aus allen Lautsprechern. Die Leinwand überzog sich mit brodelnder Lava, aus der sich ein winziger Punkt herauslöste. Er wurde größer, wuchs zum schwarzen Kreis, wurde ein klaffender Krater. Es war der tausendfach vergrößerte Lauf einer Pistole, die sich auf die Zuschauer richtete und drohte loszuknallen. Der Titel

flackerte auf. Die Musik erklomm ihren Höhepunkt, und Gaston lehnte sich zu Koklüsch hinüber, um ihm ins Ohr zu flüstern: »Laß die Hosen runter, Kamerad, gleich geht der Schuß los!«
Gleich geht der Schuß los. Das ist eine Redewendung, die auf französisch eine unzweideutig sexuelle Bedeutung hat. Aus der allgemeinen Beklommenheit wimmerte ein Keuchen hervor, ein ächzendes Husten in oberster Stimmlage. Zuerst glaubte man, es gehöre zum Film, doch bald stellte man fest, daß es aus einer Reihe kam, wo das billige Publikum saß. Von hinten wurden Zischtöne laut, aber das Keuchen verstummte nicht. Im Gegenteil. Es wurde konvulsiv und penetrant. Man merkte, daß da nicht geweint wurde, sondern gelacht. Der Film war schrecklich, von Anfang an. Ein Schlitzauge trat eine weiße Frau in den Unterleib, doch im Saal wurde gequiekst. Das war unerhört und zeitigte die erstaunlichsten Folgen. Es begann ein Prozeß von hysterischer Zellteilung. Neben der Winselstimme fing jemand an zu jaulen, als wäre ein Bazillus auf ihn übergesprungen. Bald waren es vier, dann acht, sechzehn und zweiunddreißig Opfer des Schüttelfiebers. Immer mehr Leute schnappten nach Luft, japsten verzweifelt und wußten nicht, was sie so erheiterte. Auf der Leinwand wurden Amerikaner zu Tode gekitzelt, Engländer skalpiert, aber das Lachen verbreitete sich in geometrischer Progression. In einer Folterzelle wurden jemandem Glaskugeln in den After gequetscht, und schon begannen auch die teuersten Plätze sich zu winden. Das war ein Hexensabbat, und keine Vernunft der Erde schien imstande, dieser Lawine Einhalt zu gebieten. Koklüsch hatte bewiesen, daß einer wie er zum Epizentrum eines

Erdbebens werden kann. Die Vorstellung wurde unterbrochen. Die Lichter gingen an, und durch die Notausgänge drang eine Einheit bewaffneter Schutzleute in den Saal. Sie hatten den Befehl, den Rädelsführer herauszufinden, was ihnen auch gelang, und zwar mit Hilfe eines Denunzianten namens Flury, der von seinem Platz aufsprang, über die Sitzreihen kletterte, Koklüsch am Kragen packte und brüllte: »Voilà le communiste!«
Der Ziegenkopf wußte nicht, was ihm geschah. Er gluckste noch immer. Völlig erschöpft von der Anstrengung. Tränen liefen ihm über das Gesicht, als man ihn aus dem Kino schleppte, dessen Ehrengast er zu sein glaubte. Erst jetzt beruhigte sich der Saal, und schon wollte man fortfahren, als Gaston aufstand und eine kurze Ansprache hielt:
– Das war eine Kostprobe, meine Mitbürgerinnen und Mitbürger, von der gelben Gefahr in weißer Übersetzung. Sie konnten die tapferen Boys unserer Sicherheitspolizei bewundern, die einen zweiundsiebzigjährigen Greis verhaftet und abgeführt haben, weil er am falschen Ort gelacht hat. Es ist verboten, am falschen Ort zu lachen. Bei uns bestimmt der Staat, wann man sich amüsieren darf und wann nicht. Jetzt wissen wir aus eigener Erfahrung, woher wir bedroht sind. Jetzt gehen wir nach Hause und lachen dort, wo uns niemand hört oder stört. Aber vergessen Sie nicht abzusperren, sonst kommt ein Spitzel und denunziert Sie bei den Behörden!
Gaston war ein Volksverführer. Seine Rede traf ins Schwarze. Der Saal scharrte und klatschte Beifall. Es stand fest, daß wir die zweite Runde gewonnen hatten. Nicht wir – um es genau zu sagen –, sondern Mimi,

denn das war ihre Idee und verlief nach ihrem Szenario. Die meisten Besucher verließen das Kino, und es blieben nur ein paar Hartgesottene, unter denen sich auch Flury befand, der verhaßte Vorarbeiter aus Solothurn.

Koklüsch kam ins Gefängnis von Saint-Antoine. Dort mußte er büßen für ein Verbrechen, das nicht er begangen hatte, sondern wir. Aber das konnte er nicht wissen, glücklicherweise. Er wußte überhaupt nichts. Nicht einmal, daß er über Nacht zum Nationalhelden geworden war. In den Morgenblättern las man bereits von seinem Mißgeschick, und gegen Mittag sprach die ganze Stadt von ihm. Jetzt erfuhren wir, daß Koklüsch nur ein Spottname war. In Tat und Wahrheit hieß er Pipignoni. Ferdinand Pipignoni oder sogar Monsieur Ferdinand Pipignoni, wie ihn das vornehme Journal de Genève zu nennen geruhte. Es war herzerquickend, was man über ihn schrieb:

– unbescholtener Waldarbeiter ...
– sechzig Jahre ehrlich geschuftet ...
– zum Lohn ein paar Handschellen ...
– dic Kleinen sperrt man ein ...
– die Drahtzieher bleiben ungeschoren ...
– die Polizei macht sich lächerlich ...
– wofür zahlen wir Steuern? ...

Sogar Madame Bigler verlor an jenem Dienstag ihre Besonnenheit. Bisher hatte sie immer gesagt, sie kenne nur einen Gott, und das sei der Schweizerfranken. Heute stemmte sie die Fäuste in die Hüften und wetterte: »Wenn die so weitermachen, geh ich zu den Roten.«

Auch die kaufmännischen Angestellten waren wie umgekrempelt. Einer von ihnen verstieg sich zur tapferen

Drohung: »Wenn sie Koklüsch nicht freilassen, machen wir Krach.«
– Was für einen Krach, Mensch? Ihr wart doch immer für Ruhe und Ordnung.
– Genau, aber diesmal hat die Polizei angefangen.
– Ich gehe mit der Mehrheit. Die Mehrheit ist für Koklüsch.
– Fahrt doch mal mit der Straßenbahn. Da könnt ihr hören, was die Leute sagen.
– Das Volk hat die Nase voll, ihr werdet sehn.
– Heute sitzt er im Gefängnis. Morgen in der Regierung ...
Ein Vegetarier trat an unseren Tisch und reichte Gaston eine Hundertfrankennote, was damals eine Menge Geld war:
– Ihr seid zwar eine Bande von Hornochsen. Koklüsch ist ein gewöhnliches Arschloch – ich kenne ihn persönlich –, aber Gewalt gegen einen Halbschlauen, das ist unfair.
Die Anarchisten schnödeten wie immer. Wir seien Kaninchen, sagten sie, und wenn wir Haare hätten am Hintern, würden wir eine Ladung Dynamit unters Gefängnis stecken. Kurz und schmerzlos, und die Sache wäre erledigt.
Auf diese Herausforderung zog Mimi die Nasenflügel hoch. Sie warf den Kopf in den Nacken und blinzelte damenhaft in die Ferne:
– Ich persönlich fühle mich angesprochen, Monsieur, aber ich würde mich hüten, mit dem Gefängnis auch unseren Freund Koklüsch in die Luft zu jagen. Oder sehen Sie das anders?
Das war einer jener Volltreffer des Mädchens mit dem

Schönheitsfleckchen am Kinn. Gaston wetzte triumphal die Zunge am Backenzahn, und die Anarchisten erklärten kleinlaut, auch eine Stinkbombe würde genügen. Ins Polizeipräsidium zum Beispiel. Als Warnung.

An jenem Tag geschah noch ein Wunder. Die Deutschschweizer mischten sich ins Gespräch, und es stellte sich heraus, daß die schweigende Mehrheit fließend französisch sprach. Der griesgrämliche Ägerter, der sonst nur dasaß und kuhäugig in den Teller stierte, zeigte ungeahnte Qualitäten:

– Was wir jetzt brauchen, sagte er trocken, sind drei oder vier Großbetriebe, die mit der ganzen Belegschaft nach Saint Antoine marschieren. Wenn zehntausend Unterhunde bellen, dann tönt es so laut, daß es sogar die Regierung vernimmt, obwohl sie sonst taub ist. Ich bin Dreher bei Tavaro. Ich bringe zweitausend Kollegen auf die Beine.

– Und ich Schleifer bei Hispano. Wir sind dreitausend

– Wenn Gaston die »Gardi« zusammentrommelt, haben wir siebentausend

– Ich arbeite auf der Hauptpost

– Ich bei den städtischen Verkehrsbetrieben

– Wir sind Verkäuferinnen im Grand Passage . . .

Am Mittwoch abend um sechs brach in Genf der Verkehr zusammen. Aus allen Gassen wälzten sich Menschenmassen der Stadtmitte entgegen. Auch eine Blasmusik war da und ein Mandolinenorchester des Arbeiterturnvereins Satus. Über die Rhonebrücke zog ein stets größer werdender Menschenstrom zum place Longemalle und von dort hinauf zum Bourg de Four. Die Leute waren ausgelassen und skandierten die ver-

rücktesten Losungen. Zuerst ganz harmlos:
– Schweigen ist gesund,
  drum haltet den Mund!
– Wer nicht lacht zur rechten Zeit,
  der muß schlucken, was übrigbleibt.
Dann schon bedrohlicher:
– Einer hat das Maul verzerrt,
  wurde dafür eingesperrt!
– Wer hier lacht,
  wird kaltgemacht!
Zuletzt rief die Menge:
– Koklüsch, Liberté!
– Koklüsch, au pouvoir!
was nicht mehr und nicht weniger hieß, als daß der Dorftrottel Bürgermeister werden sollte. Hier stutzte ich zum ersten Mal. Mein Verstand sträubte sich gegen den Massenwahn, und ich verdrückte mich in Bovards Bierstube, um bei einem Humpen kurz zu verschnaufen. Das ist ja Heldenkult, was da getrieben wird, sagte ich mir, der kürzeste Weg zur Verblödung. Aber von draußen kreischte die Begeisterung herein und überdröhnte meine Zweifel. Ich zahlte und eilte auf die Straße zurück, wo ich von der Menge mitgerissen wurde.
Es war ein widerlicher Oktoberabend. Ein kalter Wind fegte durch die Straßen. Man fror bis in die Knochen hinein, aber selten sah ich vergnügtere Gesichter in Genf. Wenn wir sonst durch die Straßen demonstrierten, quetschten wir die Zähne aufeinander und brüllten papierene Parolen in die Luft. Heute aber waren uns die Zügel entglitten. Eigenwillig und führerlos zog das Volk dem Gefängnis entgegen. Wir waren übermütig wie noch nie. Koklüsch Liberté – hallte es aus allen Him-

melsrichtungen, und als das Glockenspiel der Peterskathedrale sieben schlug, standen um die zwölftausend Menschen auf dem Platz. Es war Nacht geworden. Zur Linken die Mauern von Saint-Antoine. Zur Rechten die ehrwürdige Vorderfront des Rathauses. Eine unübersehbare Menschenmenge skandierte jetzt ganz deutlich: »Koklüsch au pouvoir« – Koklüsch an die Macht! Entsetzen rieselte mir den Rücken hinunter. Wo waren die historischen Gesetze, wo die Zwangsläufigkeiten der Weltgeschichte?

Da hörte ich von einem Kandelaber Gastons Stimme. Er war hinaufgeklettert und hielt eine Rede, von der man noch heute spricht:

– Wir sind jetzt zwölftausend, liebe Mitbürgerinnen und Mitbürger. Ich rate euch im Namen des hohen Stadtrats strammzustehn, die Arschbacken zusammenzuklemmen und nicht zu lachen, denn Lachen ist verboten!

Ein Orkan der Heiterkeit wirbelte über den Platz. Die Menge jubelte und schrie, bis Gaston Ruhe gebot und weiterhetzte:

– Mit welchem Recht wird hier gelacht, verdammt nochmal? Ihr wißt doch genau, daß man ohne polizeiliche Erlaubnis nicht einmal das Gesicht verziehen darf, und wer es trotzdem tut, gehört ins Gefängnis, wie unser Nationalheld Ferdinand Pipignoni, genannt Koklüsch, der ebenfalls gegen die Paragraphen verstoßen hat und dafür im Knast sitzt. Jawohl, dort drüben sitzt er, der arme Teufel, kaum hundert Meter von hier entfernt, und wir fordern gleiches Recht für alle. Auch wir wollen in den Knast. Alle zwölftausend, vorwärts, marsch!

Dieser Einfall war beispiellos. Gaston sprang von seiner Laterne herunter und führte die johlende Menge einem besoffenen Abenteuer entgegen. Die halbe Stadt folgte Gaston und wollte ins Gefängnis.

Ich weiß nicht, was in jenem Augenblick auf der Gegenseite geschah, aber ich kann mir ausrechnen, daß zwischen dem Rathaus und Saint-Antoine die Telephone heißliefen. Jedenfalls ging ein Rasseln durch das Tor, als wir vor dem berüchtigten Gebäude ankamen. Ein Innenflügel wurde aufgesperrt, und wir standen wie vom Blitz getroffen. Aus dem Vorhof watschelte ein Männlein mit O-Beinen und Ziegenkopf: der Nationalheld und Liebling des Volkes: Koklüsch Liberté, wie er von jenem Tag an hieß. Er wurde zum Inbegriff unseres Triumphs über die Obrigkeit.

Die weiteren Ereignisse sind schnell erzählt. Es war eine Orgie, die nun folgte. Man krähte und tobte durch die Nacht. Man hob Koklüsch auf die Schultern. Man trug ihn voran wie eine Fahne. Ich glaube kaum, daß er begriff, was los war; denn vor dem Hauptbahnhof verlangte die Menge, daß er eine Rede halte. Es wurde totenstill auf dem Platz. Koklüsch schaute mit leeren Augen in die Ferne und unvermittelt sprach er die Worte, die am Anfang seiner Karriere standen:

– Laßt die Hosen runter, Kameraden, gleich geht der Schuß los!

Das war der Höhepunkt seines Lebens. Er hätte irgend etwas sagen können in jener Sternstunde. Das Volk raste vor Begeisterung und fand ihn formidabel, denn in Wirklichkeit feierte es nicht ihn, sondern sich selbst. Der Abend endete, wie er enden mußte. Mit einer satanischen Sauferei, zu Ehren des Nationalhelden und des kurzen Augenblicks der Schwerelosigkeit. Ich hatte nicht den Mut mitzufeiern. Ich machte mich unauffällig davon, um nicht dabeizusein, wenn jemand den Ziegenkopf zum Staatspräsidenten ausrufen würde. Es fehlte mir der Mut, solch eine Mitschuld auf mich zu laden. Darum ging ich nach Hause, zündete ein Feuer an und verbrannte meine ersten zweihundert Seiten »über die Rolle großer Gestalten in der Weltgeschichte«. Die Ereignisse jenes Abends hatten mich belehrt, daß die Historie ihre eigenen Wege geht und nur die Vorsehung weiß, was für Hornochsen morgen über unser Schicksal entscheiden werden.

Am darauffolgenden Tag besuchte ich meinen Professor und bat um ein anderes Thema für meine Doktorarbeit. Er lächelte nachsichtig und gewährte mir meinen Wunsch.

Lea und der Gauleiter

Ich war achtzehn Jahre alt und fing an, mich zu rasieren. Ich befand mich im heiratsfähigen Alter – theoretisch –, aber wer konnte damals heiraten? Ein Jude jedenfalls nicht. Ein geduldeter Ausländer noch weniger. Der Sohn eines Kommunisten schon gar nicht, denn die Wehrmacht stand an der Grenze. Die Zähne aus Eisen. Die Krallen aus Stahl. Dreißig Kilometer von meiner Haustür. Morgen konnten sie einmarschieren. Wer Verstand hatte, verkroch sich und machte sich unauffällig.

Meine Tage waren gezählt, aber ich sorgte mich nicht. Im Gegenteil. Ich spielte mit dem Gedanken, Lilo zur Frau zu nehmen. Eine blonde Venus. Ein arisches Wunderwesen mit goldenem Haar und lilienweißer Haut. Das war Selbstmord. Ebensogut hätte ich sagen können, ich wolle Eva Braun zum Altar führen. Oder Leni Riefenstahl, denn Lilo war die Braut des Gauleiters. Die Geliebte des Naziführers in der Schweiz. Er war noch nicht an der Macht, das ist wahr, aber er würde an die Macht kommen. Unweigerlich, und das machte ihn schrecklich. Anfänglich wußte ich nichts von dieser Beziehung. Ich wußte einzig, daß ich sie haben mußte.

Sie ging keinem ordentlichen Beruf nach. Sie verdiente ein Taschengeld als Aktmodell an der Zürcher Kunstgewerbeschule. In der Klasse des Philipp Johansen, der gesagt haben soll, sie sei noch vollkommener als der goldene Schnitt, eine menschgewordene Harmonie, die fixe Idee Gottes. Das ist zwar trefflich ausgedrückt, aber es liegt irgendwo neben der Wahrheit, denn sie war nicht nur schön. Sie war auch im höchsten Maße beunruhigend. Als hätte sie einen Sprung im Glas. Etwas schien zu klirren in ihrem Gehäuse. Der Leib war aus toskanischem Alabaster. Die Augen aus violettem Amethyst. Die Glieder von griechischem Ebenmaß, doch ihre Schläfen bebten. Radioaktiver Staub flirrte durch ihre Wimpern. Man konnte meinen, sie hätte zwei verschiedene Pupillen: eine aus Quecksilber, die andere aus Diamant. Sie spiegelte, blinkte, glitzerte und ionisierte die Atmosphäre.

Es war an einer Tombola, als ich ihr zum ersten Mal begegnete. Eine Veranstaltung für notleidende Künstler, wenn ich mich recht erinnere. Ich erblickte sie, mitten im Gedränge, und meine Haut wurde Pergament. Ich schluckte trocken, denn nie hatte ich ein kompakteres Geschöpf gesehen. Ein Maximum von Weib in einem Minimum von Körper, voller Angriffslust und Lebensgier. Ein süßer Duft ging von ihr aus. Von reifen Früchten und nächtlichem Flieder.

Jahrzehnte sind seither verflossen. Ich weiß nicht mehr genau, wie es geschah. Sie wirbelte durch den Saal und stand plötzlich vor mir. Ich starrte sie an wie ein seltsames Tier. Sie kam näher. Langsam. Ganz nahe. Sie schlang ihre Arme um meinen Hals und flüsterte:

– Weißt du, daß ich von dir geträumt habe? Ohne dich zu kennen. Ich war sicher, daß wir uns treffen würden. Eines Tages. Irgendwo zwischen dem Fudjijama und dem Popocatepetl. Du machst mich scharf, seit ich auf der Welt bin.

– Wer bist du? fragte ich.

– Rate mal, lächelte sie und streichelte behutsam meine Brust.

– Ein magnetisches Feld, gab ich zur Antwort, ein Paradiesvogel, eine Primzahl am Meeresgrund. Sag wie du heißt!
– Lilo, erwiderte sie. Wenn du mich suchst, wirst du mich finden.
Das sagte sie mit rußig-heiserer Stimme, indem sie mich flüchtig auf den Mund küßte:
– Eine Anzahlung, hauchte sie und flatterte davon. Meine Ruhe war dahin.
An den darauffolgenden Tagen schwänzte ich die Schule. Ich paßte sie ab. Hinter dem Bronzebrunnen an der Ausstellungsstraße. Ich malte mir aus, wie sie da irgendwo lag oder saß oder stand. In einer künstlichen Pose. In einem Zeichensaal. Nackt, blütenweiß, und ein paar Dutzend Männer, die nach ihrem Körper lechzten. Ich wartete auf sie. Vom frühen Morgen bis am späten Abend. Und eines Nachmittags, als es schon zu dämmern begann, trat sie aus der Glaspforte. Sie warf den Kopf zurück, spähte im Kreis herum, erkannte jemanden, eilte auf ein Auto zu und stieg ein. Am Steuer saß ein Kahlkopf. Glatt geschoren. Von mädchenhafter Anmut, aber doppelt so alt wie ich und selbstsicher wie ein Dompteur. Ich sah ihn zum ersten Mal. Nur ganz kurz. Aus dem Hinterhalt meines Verstecks, aber ich haßte ihn. Vielleicht aus Eifersucht, vielleicht aus Instinkt. Ich wußte noch nicht, wer er war, aber ich roch den Feind in ihm. Den Todfeind. Er trug Handschuhe aus gelbem Schweinsleder. Typisch für diese Art von Hermaphroditen. Weder Fisch noch Vogel. Zu fein und dünnhäutig, um die Gegenstände auch nur anzutasten. Er zündete eine Zigarette an. Mit einem goldenen Feuerzeug. Hochmütig. Ohne Lilo eines Blickes zu würdigen. Dann

ließ er den Motor aufheulen, klinkte den Gang ein, drückte aufs Gas und brauste davon.
Lilo war sein Eigentum. Es besaß sie, wie man einen Hund besitzt. Nicht einmal gegrüßt hatte er sie. Auch nicht die Türe aufgemacht, als sie einstieg. Er hockte in seinem Mercedes. Alles geschah nach seinen Wünschen. Ohne Worte oder Gebärden. Das war mir unbegreiflich. Wer mochte er sein, dieser Zwitter? Klug jedenfalls nicht, denn er hatte kein Gesicht. Auch nicht schlau. Dazu waren seine Züge zu undeutlich. Aber ich wußte, wir würden kämpfen miteinander.
Lilo ist ein sonderbarer Name. Gespalten und widersprüchlich. Li – das heißt »ja« in der Sprache der Singhalesen. Lo hingegen » nein« auf hebräisch. Ja und nein in einem Atemzug. Ein Widerspruch in zwei Silben. Li für mich – schien es mir – und lo für ihn. Oder umgekehrt, auch das war möglich, aber einer war überzählig.
Sie war auf mich zugetänzelt, ohne daß ich sie gerufen hätte. Sie sagte, ich mache sie scharf. Von mir geträumt habe sie. Und dann dieser Kuß als Anzahlung. Doch gleichzeitig war sie zu seinen Diensten. Das ging doch nicht auf.
Mein Vater nahm das alles auf die leichte Schulter. Daß ich meine Haut riskierte, war ihm egal. Er freute sich, wenn ich mit dem Feuer spielte. Er war der Überzeugung, man müsse zuschlagen, wenn man gewinnen wolle. Handeln. Die Initiative behalten!
– Wer zögert, verliert, sprach er zu mir, geh hin und mach dich bemerkbar! Ganz gleich auf welche Weise. Nimm eine Trompete und blase! Früher oder später wird sic dich hören.

Das meinte er nicht wörtlich, und ich nahm auch keine Trompete, um mich bemerkbar zu machen, sondern eine Geige. Ich stellte mich auf. Im Foyer der Kunstgewerbeschule und begann zu spielen. Ich spielte nicht schlecht zu jener Zeit. Eine Solosonate von Bach muß es gewesen sein. Die Akustik war überwältigend. Wie in einem Konzertsaal. Die Studenten strömten herbei, von allen Seiten, und machten einen Kreis um mich herum. Heute würde sich niemand wundern, aber damals war das anders. Man war zugeknöpft in jenen Jahren. Man stellte sich nicht hin, in aller Öffentlichkeit, um Musik zu machen. Höchstens Zigeuner waren so unverschämt, oder Krüppel, die sich mit Schmachtfetzen ein Almosen erfiedelten. Ich aber suchte weder Geld noch Applaus. Einen einzigen Zuhörer wollte ich – Lilo. Da latschte der Hauswart herbei und brüllte schon von fern, er dulde weder Bettler in seiner Schule noch fahrendes Gesindel. Unbefugten sei der Zutritt untersagt, und wenn ich nicht unverzüglich verschwände, hole er die Polizei. Ich wollte mich schon verdrücken, als eine Stimme durchs Foyer klirrte. Ihre Stimme, heiser und rußig, die spitz und herausfordernd fragte, nach welchem Paragraphen und seit wann es verboten sei, in einer Kunstschule Kunst vorzuführen.

Hätte jemand anderer diese Frage gestellt, wäre die Welt untergegangen, denn die Befehle eines Pedells sind heilig in der Schweiz. Unser Land steht auf Hausbesorgern und Wachtpersonal. Sie sind das Gesetz. Aber Lilo stand ja bekanntlich außerhalb des Gesetzes. Oberhalb. Sie war die Mensch gewordene Harmonie und durfte alles.

Ein paar hundert Studenten brachten uns eine Ovation

dar. Weil wir es gewagt hatten, gegen die Ordnung aufzustehen. Lilo mit ihrer Frage. Ich mit meiner Geige. Wir hatten uns erhoben gegen die Autorität. Mitten im Zweiten Weltkrieg, als Hitler vor unseren Grenzen stand. Man spürte, daß es plötzlich heller wurde und der Krieg noch nicht entschieden war, denn der Hauswart schlurfte davon. Er hatte eine Schlacht verloren.
Die Klasse des Philipp Johansen mußte an jenem Morgen aus dem Kopf zeichnen. Das Aktmodell war abwesend. Es lag in meinem Zimmer und wälzte sich mit mir im Bett herum. Sie sei in mich verliebt, flüsterte sie, seit dem ersten Blick und schon zuvor. Ich sähe aus wie ein junger Indianer. Ich hätte eine große Nase, und solche Männer seien unermüdlich in der Liebe. Das war eine Übertreibung. Ich war nicht unermüdlich. Beim dritten oder vierten Mal bat ich um eine Pause und dozierte, um Zeit zu gewinnen, über den sonderbaren Widerspruch ihres Namens. Das Ja und das Nein nebeneinander. Zweieiige Zwillinge. Die Janusköpfigkeit ihrer Erscheinung. Dic zwei Gesichter, die aus ihr hervorschimmerten. Selbstherrlichkeit und Demut, das sei außerordentlich reizvoll. Atemraubend. Sie habe mich aus dem Gleichgewicht geschleudert und müsse nun mir gehören. Mir allein!
Da stand sie auf von meinem Bett, das noch zerwühlter war als der Zustand meiner Sinne, und zog sich an:
– Das ist ausgeschlossen, mein Lieber, sagte sie so sachlich wie ein Telephonfräulein, ich bin nämlich verlobt. Damit mußt du dich abfinden. Du kannst mich haben. Aber nicht für dich allein.
Sie war verrückt. Ich? Ich sollte mich abfinden? Daß sie

verliebt war in mich und verlobt mit einem anderen? Die hatte ja keine Ahnung. Ich sprang auf und packte sie bei den Hüften:
– Mit wem, verdammt, bist du verlobt? Sag es mir. Ich will es wissen!
– Das ist meine Sache, guter Freund. Dich geht das einen Dreck an.
Mit diesen Worten ging sie. Mein Vater lachte sich ins Fäustchen:
– Das kommt davon, wenn man gleich heiraten will. Übrigens, mit wessen Geld? Ich habe keines, und bis zum Abitur geht es noch lang. Mehr als ein Jahr. Du willst arbeiten, sagst du? Geld verdienen? Violinunterricht erteilen? Bitteschön! Erteile Violinunterricht, aber finde zuerst einen Schüler! Einen einzigen. Wenn du ihn findest, gründe deine Familie. Heiraten! Wozu brauchst du diesen Zettel? Kannst du nicht so mit ihr schlafen. Stärkt es dein Selbstbewußtsein oder deine Potenz, wenn du einen Trauschein hast? Oder ist es etwas anderes? Ich weiß, was es ist. Die jüdische Krankheit. Die Angst vor dem Pogrom. Daß sie kommen und dir den Bauch aufschlitzen. Du zitterst seit zweitausend Jahren. Mit oder ohne Grund. Du denkst nicht mit dem Hirn, sondern mit der Haut, und hast Angst, morgen sei es zu spät. Das ist unsere Nationalseuche. Die Erbkrankheit des auserwählten Volks. Heute leben. Schnell leben. Jüdische Hast. Wir laufen und rennen, flitzen und fegen, sogar zum eigenen Begräbnis. Wir überfressen uns aus Angst zu verhungern. Übersaufen uns aus Angst zu verdursten und heiraten aus Angst, allein zu sterben. Laß diesen Unsinn, mein Sohn! Nur keine jüdische Hast!

– Was soll ich denn tun, Vater? Sie ist verlobt. Wenn ich mich nicht beeile, wird sie ihn heiraten.
– Dann geh halt zum Bräutigam, wenn du was tun mußt, und schlag zu.
Das war leichter gesagt als getan. Wie sollte ich das anfangen, wo ich nicht einmal wußte, wie er hieß. Wer er war. Wo er wohnte. Ich mußte es herausfinden. Die Gelegenheit bot sich von selbst. Er kam nämlich zu uns. In die Aula des Gymnasiums. Auf Einladung des Rektors, der schon kollaborierte, als es noch gar nicht nötig war. Er hielt einen Vortrag »Über die Neuordnung Europas und die Juden«. Noch vor wenigen Monaten hätte er mehr Erfolg gehabt mit seinem Gebell. Jetzt aber tobte die Entscheidungsschlacht von Stalingrad, und niemand konnte voraussehen, wer sie gewinnen würde. Darum fiel es ihm schwer, die fünfhundert Kerle warmzuwiegeln. Die Schweizer sind höchst umsichtige Leute und klatschen erst Beifall, wenn sie sicher sind, wer gesiegt hat. Sie hockten also da. Nüchtern, unbeteiligt und mit prüfend gerüsselten Lippen. Vergnügt hörten sie zu, wie seine Stimme sich überschlug. Wie er sich verhaspelte, den Faden verlor und immer neue Kniffe ausprobierte, sein Publikum doch noch anzuheizen:
– Im alten Zürich, meine jungen Volksgenossen, stellte man artvergessene Weiber auf einen Karren, jawoll, stellte man sie. Auf einen Holzkarren und gab sie dem Gespött der Menge preis. Der Schädel wurde ihnen rasiert. Man zog mit ihnen durch die Stadt, zog man, jawoll, und drückte ihnen Judenhüte auf den Kopf. Das Volk bespuckte sie. Ins Gesicht spuckte man ihnen, gradaus. Der Jude aber, der sich in seiner Geilheit an ein unschuldiges Zürchermädchen heranwagte, der wurde

ausgepeitscht, bis ihm das Blut aus der Haut spritzte und man verjagte ihn aus dem schönen Schweizerland und zurückkehren durfte er nimmermehr. So war es. Bei Strafe der Blendung, und die Augen hat man ihm ausgestochen mit glühenden Nadeln ...
Während er so kläffte, hatte ich den Eindruck, als richte er sich ausschließlich an mich. Persönlich. Denn ich war der einzige Jude, der zu seinem Auftritt erschienen war. Vielleicht hatte er mich erspäht, als ich ihr auflauerte. Hinter dem Bronzebrunnen an der Ausstellungsstraße. Ich weiß es nicht, aber fünfhundert Mitschüler schielten zu mir herüber und wollten wissen, wie ich mich verhalte. Ich verhielt mich tadellos. Ich zuckte mit keiner Wimper, doch niemand konnte wissen warum. Ich schmunzelte nämlich beim Gedanken an das unschuldige Zürchermädchen, das noch vor kurzem Rassenschande getrieben hatte und nicht genug bekommen konnte von mir.
Das war also der Gauleiter. Jetzt wußte ich es. Der künftige Herrscher über dieses Land. Ich hatte ihm Hörner aufgesetzt, ohne es zu wissen. Das verschaffte mir Genugtuung. Mit diesem Zwitter war sie verlobt. Ihn wollte sie heiraten, nicht mich, und als ich sie fragte, gab sie zur Antwort, es gehe mich einen Dreck an.
Kurz darauf stand sie vor meiner Türe. Bleich. Flecken im Gesicht und am Hals. Dunkle Ringe um die Augen. So könne es nicht weitergehn, sagte sie, sie sei hin- und hergerissen. Zwischen dem anderen und mir, aber – sie blickte mir tief in die Augen – dich liebe ich. Ich denke stets an deinen Mund, Tag und Nacht. Ich zehre mich auf vor lauter Sehnsucht. Das alles sagte sie im Treppenhaus. Unten horchte ein Privatdetektiv, der uns beschat-

tete, wovon wir keine Ahnung hatten. Ich nahm sie in die Arme und führte sie in mein Zimmer. Ihr Anblick genügte, um meinen Zorn verrauchen zu lassen. Hastig rissen wir uns die Kleider vom Leib und schon rollten wir übers Bett. Hungrig auf unsere Haut, auf den salzigen Schweiß unserer Körper. Dann lagen wir regungslos. Ich blickte zur Decke und sagte unvermittelt: »Was wirst du nun tun mit deinem Gauleiter?« Sie wurde bleich wie ein Totenschädel. Sie wußte nicht, was ich wußte. Daß ich ihn gesehen hatte, aus meinem Hinterhalt. Daß er in meiner Schule gewesen war und dort seinen kargen Intellekt ausgeschüttet hatte. Sie brachte keine Silbe hervor. Ihre Augen wurden naß. Sie schämte sich, die göttliche Judenhure, die noch göttlicher war als der goldene Schnitt und einen Sprung hatte im Glas. Dann plötzlich fragte sie mit tränenerstickter Stimme, ob ich sie zum Teufel jagen wolle. Ich nahm ihren Kopf in beide Hände und sagte:

– Jetzt will ich dich erst recht. Jetzt ist jede Rakete, die ich dir zünde, ein Triumph über den Todfeind. Verstehst du das? Ein Sieg über den Schwachkopf, der »die Juden aus dem schönen Schweizerland vertreiben will«. Das hat er gesagt. Wörtlich. Mit glühenden Nadeln will er uns blenden. Die Pupillen will er uns ausstechen. Jeder Stoß in deinen Leib ist eine Strafexpedition. Gegen die Mordbuben, die meine Brüder und Schwestern in die Gasöfen hetzen. Das wirst du nie begreifen, aber so ist es.

Diesmal lief sie nicht davon. Sie wimmerte nur leise vor sich hin. Sie verstehe es sehr gut, und ich solle sie nicht fragen. Ihre Tränen waren mir ein Rätsel. Sie hatte ein Geheimnis, das sie krampfhaft zu verbergen suchte. Ir-

gend etwas verband sie mit diesem Gauleiter. Gott allein wußte, was es war, aber bestimmt nicht die Liebe. Sie war eine Blüte, eine geäderte Orchidee. Ihre Beziehung zum Kahlkopf konnte nicht normal sein.
– Natürlich nicht normal, sagte mein Vater, sie ist pervers. Irgendwie abartig. Der Kerl muß sie foltern.
– Das glaube ich kaum, erwiderte ich, vielleicht schlägt er sie hin und wieder. Letztens hatte sie Flecken im Gesicht. Aber sicher nicht regelmäßig. Sie ist doch ein Aktmodell. Man würde es merken. Sie wäre ja ständig von Wunden übersät und schwarzen Striemen.
– Dann eben umgekehrt, spekulierte mein Vater. Sie kann ja auch ihn quälen. Auch das gibt es. Mag sein, daß ihm das Spaß bereitet. Hunde lieben es, geschlagen zu werden. Sie beißen dann besser.
Ich behaupte nicht, daß er sich irrte. Er war Psychiater und kannte sich besser aus; aber seine Diagnosen gingen mir auf die Nerven. Lilo war viel zu zärtlich für solche Extravaganzen. Das wußte ich aus Erfahrung. Sie war eine Königin der Zärtlichkeit. Darum war ich ja süchtig nach ihr. Ihre Hände konnten streicheln, aber nicht peinigen. Und außerdem, wem nützten diese Spitzfindigkeiten? Ich wollte nur eines: daß sie Schluß machte mit meinem Rivalen. Daß sie sich abkehrte von ihm und erklärte, daß ich es sei, den sie auserkoren hatte. Kurz und bündig, und das Problem wäre aus der Welt. Wenigstens die Hälfte des Problems. Dann käme ich an die Reihe. Er würde auftauchen, eines schönen Tages, und mit mir abrechnen. Bitteschön! Er sollte nur kommen. Wenn er allein käme, hätte er nichts zu lachen. Schon andere hatten versucht, mich kleinzukriegen. Einverstanden. Wenn er ans Ruder käme, wäre ich verloren.

Er würde mich verhaften lassen und ab nach Auschwitz! Aber soweit war es noch nicht. Die Schicksalsschlacht tobte an der Wolga und nichts war entschieden. Noch lümmelte er herum in seinem Mercedes. Mit seinen gelben Handschuhen und dem goldenen Feuerzeug. Noch ließ er den Motor aufkreischen und brauste durch die Stadt, aber mit jedem Tag schmolz der Schrecken, den er verbreitete. Er hielt seine dümmlichen Reden, doch der Applaus wurde dünner. Sein kahler Schädel begann zu schwitzen. Seine Haut wurde schlaffer und in seinen Mädchenaugen zuckte Verzagtheit. Noch brüllte er, daß er den Schweizer Saustall ausräumen, daß er Ordnung machen werde, wenn es soweit sei, aber ich fürchtete ihn nicht. Ich war zu jung und zu phantasielos, ihn zu fürchten. Vor mir stand die Perspektive eines deutschen Krematoriums, aber ich befand mich in Spitzenform. Ich war entschlossen, ihn gelegentlich auf den Rücken zu legen – wie David den Goliath auf den Rükken legte, und mein Vater hetzte unermüdlich: »Geh hin und schlag zu!«
Selbst hätte er sich nicht gemessen mit dem Gauleiter. Dazu war er zu schlau und zu fragil. Er glaubte – wenigstens theoretisch – an die Überlegenheit des Geistes. An den Triumph der Intelligenz über die rohe Gewalt. Aber mich erzog er zum Kraftmeier. Das Leben hatte ihn gelehrt, daß letzten Endes die Fäuste entscheiden. Darum saß er mir im Nacken und flüsterte beharrlich, ich solle zuschlagen: »Nur wenn du davonläufst, sind die anderen stark. Niemals zurückweichen! Angriff ist die beste Verteidigung.« Ich bin ihm dankbar für seine Unterweisung. Sie hat mir genützt. Ich bin zwar ein Hasenfuß, aber ich rannte nie davon. Nur selten drückte

ich mich vor der Gefahr, denn stets hatte ich seine Stimme im Ohr. Ich erinnere mich noch genau: es war im vorhergehenden Winter. Am Jakobshorn, wo der fette Schlappner mich zum Gespött machen wollte, sowohl vor den Mitschülern als vor dem Turnlehrer, der uns zu betreuen hatte. Alle kletterten wir bergauf, mit Fellen an den Skiern, als Schlappner mit dem Stock auf eine Sprungschanze wies und höhnte, er wette hundert Franken, daß kein Jud' von da oben herunterspringen würde. Es wurde still um mich herum. Der Turnlehrer – Kretz war sein Name – tat, als hätte er nichts gehört. Alle starrten mich an und harrten der weiteren Ereignisse. Wenn ich sprang – gegen alle Grundsätze des Sports und gesunden Menschenverstands –, war das mein letzter Sprung. Wenn ich nicht sprang, war ich ausgelöscht. Töter als tot. Ein Gegenstand ätzender Verachtung. Eine Schande für alle Juden des Erdballs, und besonders für meinen Vater, der mir eingehämmert hatte, ein Jude habe nur eines zu verlieren: seine Würde. Solchen Unsinn erzählte er. Was nützte mir die Würde, wenn ich tot war? Und dennoch pochte seine Stimme an mein Trommelfell: »Nicht nachdenken, verdammt noch mal! Spring los und den Rest werden wir sehen!« Es war heroisch, was er flüsterte, aber ich war noch nie von einer Schanze gesprungen. Ich hatte keine Ahnung, wie man das machte. Mit Stöcken oder ohne. Nach vorne gebeugt oder nach hinten. Ich wußte nur, daß es um meinen Ruf ging. Um mein Ansehen unter den Mitschülern. Ob ich als Kuhdreck in die Geschichte eingehen würde oder als Mann. Ich entschied mich für den Mann. Ich nahm eine Hundertfrankennote aus der Tasche und schmiß sie Schlappner ins Gesicht.

Dann spuckte ich aus vor ihm und stieg die Treppen empor. Die Kollegen wagten nicht zu mucken, obwohl es anfing, ernst zu werden. Die Wette lief und tickte wie eine Zeitbombe. Es gab kein Zurück. Ich hatte ausgespuckt vor meinem Gegenspieler. Eine größere Beleidigung gab es nicht. Ich mußte springen, und ich sprang.
Zwei Tage später erwachte ich im Krankenhaus. Neben dem Bett saß mein Vater. Er strahlte übers ganze Gesicht:
– Ich bin stolz auf dich. Jetzt weiß ich, daß du mein Sohn bist. Wie heißt denn der Lehrer, der dabei war?
– Kretz. Man nennt ihn auch Hakenkretz, weil er ein Nazi ist.
– Ausgezeichnet. Den will ich mir vornehmen.
Mit ihm war nicht zu spaßen, obwohl er einen Kopf kleiner war als ich.
Wenn er drohte, schlug er auch zu. Noch am selben Tag ging er in meine Schule. Wie ein Tornado stürmte er ins Rektorat und verlangte nach dem Hundsfott.
– Nach welchem Hundsfott, Herr Doktor?
– Sie wissen, wen ich meine. Das Nazischwein, das zusah, wie man meinen Sohn in den Tod jagte. Bringen Sie ihn her, aber unverzüglich!
Man holte den Turnlehrer, und er kam. Er hatte keine Zeit sich umzuschauen, denn mein Vater verabreichte ihm einen Kinnhaken, daß er gegen die Wand taumelte. Der Rektor stand daneben, totenblaß, und wagte nicht einzugreifen. Auch die Sekretärinnen brachten kein Wort hervor. Mein Vater hatte theoretisch keine Chance, mit dem Hakenkretz fertig zu werden, aber er war überzeugt von seinem Recht und wurde zum Rie-

sen. Er vollbrachte ein Wunder. Er rächte sich für alle Kinder Israels, die je beleidigt worden waren. Wer zuerst schlägt – rühmte er sich nachher –, schlägt am besten. Wenn man uns quält, sind wir selber schuld. Wir denken zu viel und handeln zu wenig. Wir warten auf den Messias und lassen uns vertilgen. Wer sich treten läßt, hat es verdient, oder ein schlechtes Gewissen oder keine Grütze im Kopf ... Darum riet er mir allen Ernstes, den Gauleiter fertigzumachen. Ich tat es nicht. Ich hatte ja nicht im Sinn, ihn zu beseitigen. Loswerden wollte ich ihn, das war alles. Ich hoffte, daß Lilo sich für mich entscheiden würde. Nicht weil er tot war und ich lebendig, sondern weil ich besser war. Ein Mensch und kein Raubtier. Aber vorläufig gehörte sie ihm. Warum, um Gottes willen? Was verband sie mit diesem Scheusal? Womit setzte er sie unter Druck? Doch nicht mit seiner Männlichkeit, die er nicht besaß. Auch nicht mit seinem jämmerlichen Intellekt. Nur sie konnte mir Auskunft geben, doch sie wollte nicht. Ich mußte sie überlisten.
Eines Abends, als sie mich besuchte, stellte ich ihr eine Falle. Ich empfing sie kalt und abweisend. Sie erschrak, wollte wissen, was passiert sei. Da entgegnete ich, daß mir nun alles klar sei, ich wisse alles. Sie drang in mich. Sie wollte erfahren, was ich erfahren hatte. Ich schwieg lange, theatralisch und bedeutungsvoll. Ich ging zum Fenster. Blickte hinaus auf die verschneiten Bäume, bis es plötzlich aus mir hervorbrach:
– Du verschacherst deinen Körper, heißt es. Du seist die Hure des Gauleiters. Was suchst du in meinem Haus? Willst du mich ausspionieren oder verraten? Heraus mit der Sprache!

Sie stand wie vom Blitz getroffen. Bewegungslos, versteinert. Sie bebte am ganzen Leib und plötzlich – als erwache sie aus einem tiefen Schlaf – stürzte sie auf mich los. Sie bohrte ihre Krallen in meinen Hals. Zerrte an meinem Haar, schrie, schüttelte mich und wiederholte unaufhörlich:
– Wer hat das erzählt? Welches Luder schmiedet Ränke gegen mich? Lügen sind das. Kein Wort ist wahr daran.
– So erkläre mir bitte, warum du seine Braut bist. Warum bist du mit ihm verlobt und sagst, in mich seist du verliebt? Mich kannst du nicht heiraten, erklärst du, und wenn ich frage warum, beleidigst du mich und sagst, es gehe mich einen Dreck an. Wo ist die Logik? Sag mir endlich, was dich mit ihm verbindet. Andernfalls kannst du gehen. Und zwar sofort!
Meine Szene hatte Erfolg. Sie konnte nicht mehr ausweichen und packte aus. Sie hieß gar nicht Lilo, sondern Lea. Sie war auch keine fixe Idee Gottes. Nur die Tochter von Ostjuden, die vor vielen Jahren in der Schweiz Zuflucht gefunden hatten. Ihr Haar war gefärbt. Sogar unter den Armen und zwischen den Schenkeln. Alles auf goldblond, um die Schande zu verbergen. Niemand durfte wissen, woher sie stammte. Sie umgab sich mit einem Netz von Unwahrheiten, und ihr Vater half ihr dabei. Er vergötterte sie. Betete sie an. Zitterte, sie könnte Schreckliches erleben, wie er, in seinem ukrainischen Kaff, als er selber noch jung war. Er lehrte sie, unter falscher Flagge zu segeln. Fremde Rollen zu spielen. Sich um die Tatsachen herumzuschwindeln. Dieses Spiel beherrschte sie mit Meisterschaft. Sie mogelte virtuos. Sie lebte hinter einer Maske, und niemand ahnte,

wer sie war. Sie erzählte, sie wohne bei Freunden ihrer Eltern. Sie werde streng überwacht. Kein Mensch dürfe sie besuchen. Ihr Vater sei in Amerika. Die Mutter tot. Auch ihre Papiere waren gefälscht. Ihr Reisepaß lautete auf den Namen Lustenberger. Daß sie Lutomirsky hieß, Lea Lutomirsky, ahnte kein Mensch. Das war ihr Geheimnis. Niemand kannte ihre Identität. Mit einer Ausnahme. Der Mann, der die falschen Dokumente beschafft hatte. Er war nicht nur Gauleiter und künftiger Alleinherrscher über die Schweiz. Auch Urkundenfälscher war er. Ein schäbiger Ganove, der davon lebte, seine Kunden zu erpressen: Tu, was man dir befiehlt, sonst wirst du es bereuen, pflegte er zu sagen, meine Freunde sitzen in Bern, bei der Fremdenpolizei, in allen Ämtern, ein Anruf genügt und du fliegst, in hohem Bogen über die Grenze, nach Auschwitz oder Majdanek oder anderen Kurorten in Osteuropa!
Das also war die Wahrheit. Lilo lag in meinen Armen und winselte. Jetzt wußte ich alles. Sie war keine Hure, wie ich behauptet hatte. Schlimmer. Ein Judenmädchen war sie. Ein Wort, eine anonyme Anzeige und sie war reif für die Gaskammer.
Zwei Tage später erhielt ich einen Brief. Ein gelbes Couvert. Eingeschrieben. Vom Anwalt meines Todfeindes, und darin stand geschrieben: »Sie sind ein Jude und geduldeter Ausländer. Über Ihre politischen Sympathien sind wir ausreichend informiert. Seit dem 30. November 1942 werden Sie beobachtet. Wir wissen, daß Sie mit dem anderswärtig engagierten Fräulein Lustenberger intime Beziehungen unterhalten und versuchen, besagte Person ihrem Bräutigam abspenstig zu machen. Falls Sie sich weiterhin um Fräulein L. L. bemühen soll-

ten, müßten wir Ihre Abschiebung aus der Schweiz veranlassen.«
Mein Vater explodierte: »Der will uns unter Druck setzen, was? Abschieben? Wir haben doch keine Angst vor dieser Null. Gegenangriff ist der einzige Weg. Anmaßung gegen Anmaßung. Gewalt gegen Gewalt. Wir werden ihn aus dem Busch klopfen. Wir provozieren ihn, bis er platzt.«
– Wie willst du das bewerkstelligen, fragte ich unsicher.
– Ganz einfach. Wir schicken ihm den berühmten Brief der Saporoger Kosaken an den Sultan von Konstantinopel.
– Nie gehört.
– Der Sultan verlangte ein Zeichen der Unterwerfung. Als Antwort bekam er das Pamphlet.
– Und? Was steht darin?
– Das wirst du gleich hören ...
Mein Vater ging zum Bücherschrank und holte eine Sammlung historischer Brieftexte heraus. Er setzte die Brille auf und las mir vor:
»Du heidnischer Schlappschwanz, Bruder und Genosse des leibhaftigen Satans!« Eine gute Anrede, nicht wahr? Stimmt genau auf deinen Gauleiter. Aber höre weiter: »Was bist du Hosentrompeter für ein trauriger Furz. Was deine Götzen scheißen, frißt du mit Entzücken, und so ein faules Ei wie du will freie Saporoger Kosaken in die Knie zwingen? Hörst du unser Gelächter, du taubstumme Krötenzehe? Zu Wasser und zu Land werden wir dich in Stücke schlagen. Komm doch, daß wir dir den Garaus machen. Du babylonischer Giftmischer, du alexandrinischer Ziegenmetzger und Erzsauhalter von

Ägypten, du armenischer Arschficker, du tatarischer Geißbock. Du Taschendieb von Podolsk und blutbesudelter Hinterfotz von Odessa. Du verlauster Höhlenbewohner, du Schmutzfink aller Zeiten, du dümmster Dummkopf der Erde und der Unterwelt. Höre zu, du Stutenarsch, du Metzgerhund, der du bist. Du bist nicht würdig einer anständigen Mutter aus dem Schlitz gerutscht zu sein. Darum schlagen wir diesen Brief um dein ungewaschenes Maul. Als Beweis unserer Demut und Unterwerfung. Wenn du Krieg willst, kannst du ihn haben, aber jetzt schon sollst du wissen: wir sind frei und werden es bleiben!«

Diesen Brief schrieben wir ab – schmunzelnd und in Hochstimmung – und versahen ihn mit der gebührenden Anschrift: »An den Gauleiter aller Spitzbuben, Erpresser, Hurensöhne und Urkundenfälscher der Eidgenossenschaft«. Zum Schluß schrieben wir den Nachsatz: »Im Einklang mit den Saporoger Kosaken, die ihren Brief nicht nur dem Sultan zugedacht haben, sondern allen Schurken der Welt, erwarte ich Ihre baldige Antwort. Zürich, den 20. Januar 1943. Gemeindestraße 6. Unterschrift.« In einem kurzen Postscriptum fügte ich noch hinzu: »PS. Fräulein Lilo Lustenberger liegt neben mir und sagt, sie billige jedes einzelne Wort dieses Schreibens.«

Die Antwort bekam ich am nächsten Tag. Per Eilpost, selbstverständlich, und eingeschrieben. Der Brief der Saporoger Kosaken hatte seine Wirkung nicht verfehlt, denn da hieß es nun wörtlich:

»Du beschnittenes Judenschwein. Ich fordere Dich zum Duell. Such Dir einen Sekundanten und teile mir mit, wo und wann Du Dich schlagen willst. Da ich mit Untermenschen nicht zu feilschen pflege, überlasse ich Dir die Wahl der Waffe. Wenn du kneifst, wirst Du liquidiert. Wenn Du Fräulein Lustenberger noch ein einziges Mal triffst, wird Deine ganze Sippe ausgerottet.

Mit vorzüglicher Verachtung
der Gauleiter«

Mein Vater jubelte: »Das ist die Chance deines Lebens. Jetzt mußt du zugreifen! Er bietet dir ein Duell an. Schriftlich und aktenkundig. Wenn du ihn erledigst, liegt die Schuld bei ihm.«

– Und wenn er mich erledigt, was haben wir dann davon? Ich weiß nicht einmal, wie man mit einer Pistole umgeht. Dafür weiß er es. Er hat die Mentalität eines Totschlägers. Er schießt mich über den Haufen. Skrupellos und kalt. Er kann nichts, aber das kann er.

– Wer redet von einer Pistole, erwiderte mein Vater, und ein listiges Lächeln durchflackerte seine Pupillen.

– Im Schießen ist er mir überlegen, da gibt es keinen Zweifel. Du selbst hast immer gesagt, blaue Bohnen seien keine jüdische Spezialität.

– Das habe ich gesagt, ja, aber dein Gauleiter überläßt dir die Wahl der Waffen. Pack die Gelegenheit beim Schopf!

– Bei welchem Schopf, Vater? Womit soll ich ihn fertigmachen? Mit Philosophie? Soll ich ein Kreuzworträtsel mit ihm lösen? Eine algebraische Gleichung?

– Ich stelle mir vor, spekulierte mein Vater, indem er bedächtig seine Brillengläser putzte, daß er seine Gründe hat, uns zu hassen. Pathologische Gründe, höchstwahrscheinlich.

– Ich pfeife auf die Gründe; der Mann will mich töten.

– Potenzangst hat er. Weil wir nicht untergehen. Weil man uns verbrennt und vergast und ausrottet; aber wir sind immer noch da. Wir werden immer da sein, und das erfüllt ihn mit Schrecken. Er vermutet unheimliche Kräfte in uns, die er nie haben wird. Das ist seine Achillesferse.

– Was nützt mir das?

– Im Wettstreit der Liebe würde er verlieren, das weiß er.

– Mag sein, daß du recht hast, Vater, erwiderte ich mißmutig, aber was soll ich ihm schreiben?

– Daß du seinen Vorschlag annimmst. Daß du bereit bist, dich mit ihm zu messen, und daß er sicherlich begreifen werde, daß ein jeder den Ehrgeiz hat, im Zweikampf zu überleben.

– Komm zur Sache, Vater!

– Daß du darum die Waffe wählst, die du am besten zu handhaben weißt. Hier grinste er übers ganze Gesicht – du verstehst, was ich meine ...

Der Einfall war typisch für meinen Vater. Genial aber undurchführbar. Wie sollte das zugehen? Ein Fickduell? Das gibt es nicht und hat es nie gegeben. Wie würde man feststellen, wer gewonnen hat und wer verloren? Welche Kriterien würde man ansetzen? Ausdauer? Häufigkeit der Entladungen? Grad der Ekstase? Und wer würde sich hinlegen als Schiedsrichter? Doch nicht mein goldener Schnitt, hoffentlich!

Mein Vater wußte Rat wie immer: »Niemand wird sich hinlegen, mein Sohn. Was wir brauchen, ist eine zuverlässige Zeugenaussage. Eine Erklärung vor zwei Sekundanten, wer von euch beiden es besser macht. Sie muß es ja wissen, oder nicht?«

Das Duell hat nicht stattgefunden. Leider. Der Gauleiter zog es vor, dem Kampfplatz fernzubleiben. Nicht meinetwegen, um die Wahrheit zu sprechen. Auch nicht aus Potenzangst. Die Weltgeschichte ist uns dazwischengekommen. Am 2. Februar des Jahres 1943, zwei Tage vor unserem Zweikampf, in den Ruinen von Stalingrad, wo die Armee des deutschen General-Feldmarschalls von Paulus eingekesselt und zermalmt wurde. Hitler hatte den Krieg verloren. Alle seine Gauleiter ebenfalls. Wir erschienen am Zürichhorn, wo das Duell hätte stattfinden sollen, doch der Todfeind kam nicht.
Seit jenem Tag war alles anders auf der Welt. Sogar ich war nicht mehr derselbe und hatte keine Lust mehr, Lilo zu heiraten. Gott allein weiß, warum. Vielleicht, weil etwas klirrte in ihrem Gehäuse.

In der Höhle der Jungfrau

Das Wunder ereignete sich in Founex. Das ist kein Dorf, sondern ein Kaff. Weniger noch. Ein Misthaufen, an der Südgrenze des Kantons Waadt, der auf den meisten Landkarten gar nicht eingezeichnet ist. Founex bestand damals aus einer Tankstelle, einem Posten der Kantonspolizei und einer gelb getünchten Privatschule mit dem unschuldigen Namen LA CHÂTAIGNERAIE, was auf deutsch Kastanienhain bedeutet.

Als ich dort unterrichtete, sagte man, dies sei die schlechteste Schule Europas. Trotzdem kamen die Schüler aus den vier Himmelsrichtungen, um dort weltmännischen Schliff zu erwerben. Nicht von mir, allerdings. Ich war eher bestrebt, die mir anvertrauten Knaben auf gewisse Abwege zu bringen. Vorsichtig natürlich und nach allen Regeln der Kunst. So hinterlistig, wie ich nur konnte mit meinen fünfundzwanzig Jahren. Ich lehrte nämlich Geschichte und demonstrierte die Naturgesetzlichkeit revolutionärer Umwälzungen. Ich bewies mit mathematischer Nüchternheit den unausweichlichen Untergang der kapitalistischen Ordnung und den sicheren Sieg des Kommunismus. Das war die Quintessenz meines Unterrichts, dessen Erfolg verhältnismäßig gering blieb. Faridun – er war mein Lieblingsschüler – wurde Schatzmeister des Schahs von Persien. Vernet übernahm die Schiffswerften seines Vaters, und der Freiherr von Stolpe stellte sich an die Spitze einer neofaschistischen Partei.

Ich war, wie gesagt, fünfundzwanzig Jahre alt, doch

noch leicht infantil. Ich fühlte mich als ein bescheidenes Rädchen im Getriebe der proletarischen Weltbewegung und sehnte mich danach, den heiligen Funken in die Gemüter der Jugend zu werfen, aus denen dereinst die große Feuersbrunst emporlodern würde.

In jenem Alter strebt man weder nach Macht noch nach Geld. Ich war nur naiv und wollte meinen Beitrag leisten zur Verbesserung der Menschheit. Du lieber Gott! Meine Schüler stehen heute am Steuer der Weltgeschichte, aber die Menschheit ist nicht besser geworden. Es ist, als hätte ich in den Wind gepredigt. Wenn ich nicht in Founex gewesen wäre, wenn ich mich anderswo herumgetrieben hätte – es würde sich ebensowenig geändert haben. Eine verlorene Zeit, finde ich heute. Alle haben mich vergessen. Mit einer Ausnahme: Chanson. Ich habe sein Leben verändert und er das meine.

Er sah aus wie ein besoffener Vollmond. Sechs Kinder hatte er in die Welt gestellt. Zu Ehren Gottes und der evangelischen Landeskirche. Von Beruf war er Pfarrer. Im Kastanienhain, wo er pubertierenden Christen, Mohammedanern und Buddhisten die frohe Botschaft übermittelte. Sogar zwei Juden gab es in der Schule, doch sie entzogen sich seinem Unterricht und werden nie wissen, daß der Herr auferstanden, und es eine Lust ist zu leben, halleluja!

Ich habe mir sagen lassen, Chanson denke häufig an mich zurück. Mit Dankbarkeit und verständnislosem Kopfschütteln. Doch bevor ich darüber berichte, muß ich einer gewissen Laura gedenken, welche das imposanteste Glockenspiel besaß, das ich je gesehen habe. Das waren schon keine Brüste mehr, sondern Atommeiler. Im Umkreis von Kilometern ionisierten sie die Land-

schaft. Eine lüsterne Unruhe wogte empor, wenn sie sich näherte, und sämtliche Magnetnadeln schlugen aus, wenn auch nur ihr Name erwähnt wurde.
Chanson war noch kindischer als ich. Er war felsenfest davon überzeugt, daß sie so rein war wie eine Bergforelle. Und so keusch wie die Jungfrau Maria. Sie bediente bei Tisch. Einen Rabenfraß, den keiner auch nur angeschaut hätte, wenn er nicht von dieser Aphrodite serviert worden wäre. Sie hieß Laura. Schon ihr Name klang wie eine Geige aus Cremona, wie ein verliebtes Sonett aus vergangenen Zeiten. Sie sprach italienisch. Sie lächelte florentinisch. Sie schritt durch den Speisesaal wie eine Contessa und dann – ich halte den Atem an, wenn ich davon erzähle – dann beugte sie sich über den Tisch und legte behutsam das Essen in unsere Teller. Ledernes Fleisch und verkochtes Gemüse, doch die Glocken schlugen zum Himmel empor. Posaunen schmetterten aus dem Paradies, der Duft ihres Körpers umwehte uns. Sie war ganz nahe und unendlich fern. Das waren die Höhepunkte unserer Tage in Founex. Wir ersehnten diese Augenblicke voll Sehnsucht und Begierde, sowohl die Lehrer als auch die Schüler, und sogar der tugendhafte Monsieur Weiß, der vor jeder Mahlzeit ein direktoriales Vaterunser sprach, um die häßlichen Gedanken aus unseren Herzen zu vertreiben. Wir alle waren von ihren Strahlen verseucht. Chanson ganz besonders. Wenn Laura zu seinem Tisch kam, traten winzige Schweißtröpfchen auf seine Stirn. Seine Nase begann zu glänzen, und er mimte irgendeine läppische Beschäftigung, um sich nicht anmerken zu lassen, was in ihm gärte. Wenn Monsieur Weiß zur Stelle kam, wo es heißt »und führe uns nicht in Versuchung«,

pflegte Chanson die Brille von der Nase zu nehmen. Er wischte sie am Hemdärmel ab und murmelte »sondern erlöse uns von dem Bösen«. Wie gut ich ihn verstand. Ich war zwar kein protestantischer Pfarrer, aber auch Kommunisten werden von Trieben geplagt und quälenden Schuldgefühlen.

Mit Beklemmung schweife ich zurück in jene Zeiten. Ich spüre noch den Halbschlaf, aus dem er uns gerissen hat, dieser Schmutzfink namens Habegger. Ein unverschämter Lüstling, der hinging und ihre Intimität besudelte. Am späten Abend, als sie nackt vor ihrer Waschschüssel stand. Üppig und weiß wie Alabaster. Sie konnte nicht ahnen, daß man sie beobachtete. Wenn er wenigstens aufgepaßt hätte. Aber nein! Dazu war er zu plump. Habegger & Co. Chemikalien und Düngemittel bei Zofingen im Aargau. Ein ungehobelter Klotz, dem nichts fehlte auf dieser Welt, außer einem Quentchen Verstand. Nicht einmal das Licht konnte er löschen im Korridor, und so wurde er eben erwischt. In flagranti. Von Herrn Weiß. Beim Rundgang durch die Gänge seines Imperiums. Wenn es finster wurde, spürte er, daß es krachte im Gebälk, daß alle Ordnung aus dem Leim ging und die zehn Gebote zerbröckelten unter den Bettdecken. Die animalische Seite der Zöglinge drängte an die Oberfläche. Darum stieg er die Treppen hoch – mit dem Schritt eines alternden Feldherrn – und begab sich aufs Mansardengeschoß, wo das Küchenpersonal logierte. Vor die Tür der Liebesgöttin, die das Chaos in die Schule gebracht hatte. Es gab keinen Zweifel. Das war er. Das Auge am Schlüsselloch und die Hand im Hosenschlitz. Chemikalien und Düngemittel. Ein ehrbarer Name im Zustand der Schande. Weiß mußte etwas unternehmen, obwohl die Angelegenheit recht heikel war. Er rief ihn beim Namen. Scharf und mißbilligend. Habegger hielt inne in seinem Frevel. Der Schulleiter packte ihn beim Kragen und schleppte ihn ins Rektorat.

– Bist du dir bewußt, junger Mann, daß du gegen mindestens fünf Paragraphen der Schulordnung verstoßen hast?

– Ich habe sie nicht gezählt, Monsieur le Directeur.

– Und du fühlst dich gut dabei?

– Nein, schlecht.

– Was heißt schlecht?

– Weil Sie mich gestört haben. Im besten Moment.

Lange Pause und dicke Luft. Die zwei Männer sprachen aneinander vorbei. Der eine war sechzehn. Der andere sechzig. Sie redeten verschiedene Sprachen.

– Was wolltest du sehen, als du durchs Schlüsselloch schautest?

– Den Kilimandscharo.

– Sei nicht frech, Habegger!

– Sie sind doch auch ein Mann, oder?

– Ich habe es nicht nötig, durch fremde Schlüssellöcher zu schauen.

– Nötiger als ich, Monsieur le Directeur.

– Was soll das heißen?

– Daß Sie nicht besser sind als wir.

– Nimm das zurück, Habegger!

– Am Heiligen Abend, dreiundzwanzig Uhr fünfzehn, Sie erinnern sich.

– Nimm das zurück, sonst gibt es einen Skandal.

– Ich habe zwei Zeugen, Monsieur le Directeur: Nassiri und MacLellan.

– Ich schmeiße dich aus der Schule.
– Haben Sie durchs Schlüsselloch geschaut, ja oder nein?
– Aus anderen Gründen, du Flegel. Weil man mir gesagt hat, daß Laura nicht allein sei.
– Darum schauten Sie durchs Schlüsselloch? Fünf Minuten lang?
– Ich kenne meine Pflichten, Habegger.
– Gemöchtet haben Sie, Monsieur le Directeur, und nicht gekonnt.
Jetzt reichte es. Monsieur Weiß wurde schimmelgrün. Fast blieb ihm das Herz stehen, und er versetzte Habegger eine Ohrfeige, daß er zu Boden stürzte. Eine Millionenfirma. Chemikalien und Düngemittel. Auf dem Parkett des Mansardengeschosses. Er richtete sich auf. Mit dem Handrücken wischte er den Staub vom Pyjama und erklärte, der Anwalt seiner Familie heiße Schuhmacher und wohne in Aarau. Weiß biß sich in die Unterlippe und sprach mit veränderter Stimme:
– Vielleicht rettet dieser Mensch deinen Ruf, Habegger, aber nicht deine Seele.
– Ich habe mir nichts vorzuwerfen, Monsieur. Wenn jemand schuld ist, dann ist es Laura. Sie hat mich scharf gemacht. Sie macht alle scharf. Niemand kann ruhig schlafen in diesem Haus. Auch Sie nicht, sonst würden Sie nicht durch die Gänge schleichen wie ein läufiger Kater. Sie sind noch läufiger als wir. Ihre Augen werden ganz klein, wenn sie vorbeigeht.
– Hör mir zu, Habegger!
– Ich will jetzt ins Bett.
– Wir knien nieder und beten miteinander.

– Wenn Sie das beruhigt, bitteschön! Mich beruhigt es nicht.
– Und was würde dich beruhigen, Habegger?
– Das wissen Sie so gut wie ich.
Patt. Die Partie war unentschieden. Weiß war Schulleiter. Habegger eine Millionenfirma. Allmächtig und unerschütterlich. Und außerdem hatte er recht. Nur Laura konnte da helfen. Nur ihre Schenkel und Brüste. Aber sie war eine Festung, schien es. Uneinnehmbar und stolz. Der Schulleiter war ratlos. Er verbrachte eine schlaflose Nacht und erst gegen Morgen keimte der erlösende Gedanke: Chanson! Wozu hatte man einen Seelsorger im Haus?
Nach dem Frühstück ließ er ihn rufen. Er stand am Fenster, blickte sorgenvoll auf die Kastanienbäume hinaus und seufzte, die Schule sei krank. Todkrank bis ins Knochenmark. Die Italienerin habe den Knaben die Köpfe verdreht. Sie sei vom Teufel besessen. Sie träufle Begierde in ihre Herzen, reize ihre Phantasie, werde noch alle in den Sumpf führen und ...
– Du sollst kein falsches Zeugnis reden, erwiderte Chanson, indem er bekümmert die Hände zusammenpreßte, seien wir vorsichtig mit den Worten!
– Ich rede kein falsches Zeugnis, lieber Chanson. Ich hege nur meine Vermutung und zittere, sie könnte sich bewahrheiten.
– Ich glaube, daß Laura noch nie ...
– Es ist Ihr Beruf zu glauben.
– Und Ihrer zu bezichtigen, Monsieur Weiß.
– Jawohl, und zu strafen, wenn sich jemand schuldig macht.
– Woher wollen Sie wissen, ob ...

– Ich werde es erfahren aus erster Hand. Von Laura persönlich.
– Sie wollen sie fragen?
– Ich? Warum denn ich? Sie werden sie fragen, Chanson. Das ist Ihr gutes Recht. Sie sind ein Pfarrer.
– Ein protestantischer Pfarrer. Laura ist katholisch.
– Sie werden trotzdem mit ihr reden und herausfinden ... Sie verstehen mich.
– Nein.
– Herausfinden, ob sie noch ... ich meine ... ihre Tugend hat.
– Erinnern Sie sich an Jeremias, Monsieur Weiß! »In Schanden stehen sie da, denn sie haben Greuel verübt und schämen sich nicht.«
– Sie werden mit ihr reden. Ich befehle es Ihnen.
– Für mich gibt es keine Befehle.
– Aber was, mein teurer Chanson?
– Mein Gewissen, Monsieur Weiß.
– Dann rufe ich den Arzt aus Nyon, und Sie sind entlassen. Er wird das Mädchen untersuchen.
– Das wäre ungeheuerlich.
– Mag sein, aber er wird sie untersuchen.
– Gut, Monsieur Weiß. Ich werde mit ihr reden.
– Ich danke Ihnen, Chanson. Ich wußte, daß man auf Sie zählen kann; aber vergessen Sie nicht! Es ist dringend.
Am Nachmittag desselben Tages trat er in mein Zimmer. Die ganze Geschichte hat er mir erzählt und bat mich um Rat.
– Was würdest du tun an meiner Stelle?
– Kommunist werden – da hast du ein Beitrittsformular.

– Ich frage im Ernst.
– Und ich antworte im Ernst.
– Was soll ich tun?
– Ich würde jauchzen.
– Laß deine Witze!
– Jauchzen, daß der Herr am Kreuz gestorben ist. Für eure Niedertracht.
– Du blödelst und ich bin in der Klemme.
– Er wird zum zweiten Mal am Kreuz sterben, damit ihr weiter heucheln könnt und weiter sündigen. Man befiehlt dir, sie zu fragen, ob sie es getrieben hat, mit wem und wie oft. Weiß will es. Dein Gewissen will es nicht. Wem sollst du gehorchen? Weiß natürlich, denn er zahlt dir deinen Lohn. Das schuldest du deinen Kindern. Wenn sie keine Butter mehr bekommen auf ihr täglich Brot ... ist doch auch eine Sünde, oder nicht?
– Ich soll hingehen und sie fragen?
– Klar. Mußt ja nicht gleich mit der Türe ins Haus.
– Sondern?
– Kannst dich umschaun in ihrem Zimmer und beiläufig fragen, ob das Bett nicht etwas klein sei für zwei Personen. Wenn sie dann sagt, sie schlafe allein und sei noch unberührt und so weiter, dann kannst du sie ...
– Hör auf!
– Dann kannst du sie zum Psychiater schicken. Sie ist fünfundzwanzig. Eine Jungfrau in diesem Alter ... da stimmt etwas nicht ...
– Du bist verrückt.
– Dann machst du es selber.
– Was?

– Das.
– Ich bin verheiratet und habe sechs Kinder.
– Du kannst ja beten. Nachher. Gott wird dir verzeihen. Du hast es besser als ich. Ich glaube nicht an Gott. Mir verzeiht keiner.
– Entweder du machst dich lustig über mich, oder du bist ein Schlitzohr.
– Du wirst herausfinden, was ich bin.
Er wollte mir den Schwarzen Peter zuspielen. Es ist ihm nicht gelungen. Im Gegenteil. Er war noch ratloser als zuvor. Am Abend ging er in ihr Zimmer – in die Höhle der Jungfrau – und fragte sie geradeheraus, warum sie die ganze Schule in Versuchung führe. Sie saß auf ihrem Sofa und schwieg. Sie schaute ihn an. Blinzelte. Hatte lange, goldene Wimpern und dahinter mandelbraune Augen. Chanson stand ihr gegenüber. Er wartete auf eine Antwort. Fühlte sich bleiern und verkommen, denn er begehrte sie. Er hatte eine unwiderstehliche Lust, sie zu packen und an sich zu reißen. Dampf stieg ihm in den Kopf. Es wurde ihm süß und übel zugleich. Sie lächelte und sagte kein Wort. Was würde sie wohl tun, wenn er seinen Trieben gehorchte? Eli, Eli, lema sabachthani? Mein Gott, du mein Gott, warum hast du mich verlassen? Er fühlte, daß ihm die Knie weich wurden und mit letzter Kraft konnte er sich umdrehen und die Flucht ergreifen. Das war sein Glück, doch von da an hatte er keinen ruhigen Augenblick mehr.
Am nächsten Tag wurde Chanson zum Zeugen eines Gesprächs, das er lieber nicht gehört hätte. Es war beim Mittagstisch. Er saß neben Nassiri, der seinem Kollegen MacLellan zuflüsterte, Laura sei noch besser als Rosita.

– Welche Rosita?
– Die Rothaarige aus dem Crazy Horse.
– Woher weißt du das?
– Aus Erfahrung.

Nassiri war ein zwei Meter hoher Goliath. MacLellan ein David von kaum einem Meter fünfundfünfzig. Die beiden verständigten sich auf englisch. So angeregt übrigens, daß Chanson jedes Wort verstehen konnte. Er war angewidert und empört. Laura mit diesem Zenturion? Mit dieser ägyptischen Plage. Zur Vielweiberei erzogen und von Hetären verdorben. Er log. Eindruck wollte er schinden bei den Kollegen. Prahlen mit all den Weibern, die er sich verschaffen konnte. Die Süßesten und Unnahbarsten, sogar Laura. Das behauptete er wenigstens, oder deutete es an. Dabei war er dumm; eine widerwärtige Speckschwarte mit borstigen Locken auf dem Schädel. Nein. Alles war erlogen, und dennoch fraß es an der Leber. Als Monsieur Weiß sich erkundigte, wie das Gespräch verlaufen sei und was Chanson von Laura erfahren habe, antwortete dieser mit bebenden Nasenflügeln, es gebe einen gewissen Verdacht. Vielleicht sei Nassiri im Spiel, aber – wie gesagt – du sollst nicht falsches Zeugnis reden über deinen Nächsten.

Jetzt wußten es schon vier Personen. Chanson, Weiß, Nassiri und MacLellan. Am nächsten Morgen die ganze Schule: daß Laura besser sei als Rosita, daß Nassiri mit ihr im Bett war und zahllose Einzelheiten, die ich lieber nicht erwähnen möchte. Laura schwieg. Sie blinzelte wie immer durch ihre goldenen Wimpern und verhielt sich, als ginge sie das alles nichts an. Doch das Gerücht machte die Runde, bis sich das ganze Knabeninstitut hintergangen fühlte. Betrogen in seinen Hoffnungen. Gehörnt; obwohl niemand ernsthaft glauben wollte, daß Nassiri ihre Gunst genossen hatte. Aber wer weiß? Alles ist möglich auf dieser Welt. Er war der Sohn des ägyptischen Botschafters. Steinreich. Blöd wie eine Kröte und schwerfällig wie ein Nilpferd. Was braucht man mehr, um Erfolg zu haben?

An jenem Tag hatte niemand Appetit. Der Kaffee schmeckte nach Rattengift und Salmiakgeist. Monsieur Weiß las aus dem Brief des Apostels Petrus, in welchem es heißt: »Ihr Geliebten, ich ermahne euch als Pilger und als Fremdlinge. Enthaltet euch der fleischlichen Begierde und führet einen guten Wandel!« Das war eine deutliche Anspielung, aber niemand hörte zu. Nassiri am allerwenigsten, da er ja zu einem Gott betete, der den Verkehr mit Frauen nachsichtiger beurteilt als der unsrige. Statt dessen sprang ein Bazillus von Tisch zu Tisch: die Eifersucht, der Haß, der blanke Neid gegen den Muselmann, der uns so schamlos ins Gehege trat. Alle sannen auf Vergeltung, doch den explosiven Einfall hatte Habegger.

Um das nun Folgende zu begreifen, muß man wissen, daß in der Châtaigneraie alle Fundgegenstände im Sekretariat abzuliefern waren. Jeden Samstag wurden sie den rechtmäßigen Eigentümern zurückerstattet – im Speisesaal –, und zwar mit erbauenden Ermahnungen des Direktors persönlich. An jenem Tag hob Monsieur Weiß ein langes Turbantuch in die Höhe und fragte voll heuchlerischer Liebenswürdigkeit:

– Wem gehört denn diese Kuriosität da?

– Mir, grölte der Ägypter mit der Stimme eines Bierkutschers.

– Man sagt nicht »mir«, Nassiri. Man antwortet mit einem ganzen Satz: »Dieser Turban gehört mir.« Wir sind hier zivilisierte Menschen und antworten mit ganzen Sätzen. Jetzt kommst du her und holst ab, was du so leichtsinnig herumliegen läßt.
Nassiri erhob sich von seinem Stuhl. Er durchquerte den Raum von zuhinterst hinten bis zuvorderst vorne, wo Monsieur Weiß thronte und seine Gemahlin. Leicht erhöht auf violetten Plüschsesseln. Für alle sichtbar und eindrucksvoll. So ein Gang war ein Spießrutenlauf, doch heute verlief die Komödie anders als gewöhnlich. Die Sitzordnung bestand aus fünfzehn Zwölfergruppen. Je elf Schüler und ein Lehrer. Jedesmal, wenn Nassiri an einem Tisch vorbeilatschte, brach ein hysterisches Gelächter aus. Die Heiterkeit griff um sich wie eine Seuche. Monsieur Weiß war perplex und schüttelte den Kopf. Er verstand nicht, was geschah, weshalb gelacht wurde. Als das Nilpferd endlich vor ihm stand, verwirrt und unsicher, wurde die ganze Schule von ersticktem Gejaule geschüttelt. Nassiri nahm seinen Turban, und ohne sich zu bedanken, rannte er davon. Das Gewieher von hundertfünfundsechzig Schülern begleitete ihn. Jetzt gewahrte auch Monsieur Weiß, was geschehen war. Im Rücken des Pharaonen baumelte ein Präservativ. Eine englische Kapuze, wie man das nannte, die ihm Habegger unbemerkt an den Rockkragen geheftet hatte. Jetzt mußte er fliegen, kalkulierte der Chemiemagnat, und wenn er flog, wäre Laura wieder disponibel. Seine Rechnung – und das ist der Trost dieser peinlichen Geschichte – sollte nicht aufgehen.
Monsieur Weiß nahm seine Gemahlin beim Arm und führte sie, nach Luft ringend, aus dem Speisesaal. Sie

zogen sich in ihre Villa zurück. Kurz darauf wurden wir hinüberzitiert: alle Lehrer, das Aufsichtspersonal sowie die Angestellten der Buchhaltung und des Sekretariats. Was da stattfand, nennt man heute einen Krisenstab. Der Schulleiter sah aus, als hätte man ihn gefoltert. Er sprach flüsternd. Mit dünner, kaum vernehmbarer Stimme, doch aus seinen Worten klang heilige Entschlossenheit. Wenn aber jemand meinte, er würde über Nassiri reden oder Habegger, der irrte sich. Das waren zu gewaltige Protagonisten. Sie zahlten ein zu beträchtliches Schulgeld, als daß man sie einfach wegschicken konnte. Ein Kondom im Rücken, das war entsetzlich. Sich einen runterwedeln im hellerleuchteten Korridor, das war ein Skandal. Aber Monsieur Weiß sprach über Laura. Weil sie – er zitierte Habegger – an allem schuld war. Weil sie alle scharf machte mit ihrer Schamlosigkeit. Keiner könne ruhig schlafen in dieser Schule. Ohne Laura wäre es niemals zum heutigen Zwischenfall gekommen. Sie müsse entlassen werden, und zwar sofort.

Chanson hockte neben mir und kochte vor unterdrücktem Zorn. Ich schwieg ebenfalls, weil ich das Ganze jämmerlich fand; doch keiner von uns fand ein Wort des Protestes. Nur Mister Bradley reagierte wie ein Mensch. Zum ersten Mal seit er in Founex unterrichtete, ergriff er das Wort. Er sprach mit grimmig herunterhängenden Mundwinkeln und einem erbärmlichen Akzent. Er sagte, man müsse zuerst herausfinden, wer den besagten Gegenstand in die Schule geschmuggelt habe. Wenn es Laura war, möge man sie entlassen. Wenn aber jemand anderer schuldig sei, und wäre es die Königin von England, dann müsse jemand anderer die Konsequenzen tragen. Das gebiete die Gerechtigkeit, für die er im letzten Kriege sein Leben aufs Spiel gesetzt habe. Punkt.

Gegen diese Erklärung war nichts einzuwenden. Gar nichts. Nur stellte sie die gesamte Taktik des Schulleiters auf den Kopf. Jetzt konnte er nichts mehr vertuschen. Eine unvoreingenommene Untersuchung drängte sich auf und es war auch nicht mehr zu verhindern, daß unvorhergesehene Einzelheiten ans Tageslicht gelangten.

Als erstes fand eine Hausdurchsuchung statt. Monsieur Weiß ging hinter die Schränke und Schubladen seiner Pensionäre. Zu seinem Schrecken fand er ein Buch von Charles Darwin, worin geschrieben stand, der Mensch stamme vom Affen ab und die ganze Schöpfungsgeschichte sei ein Humbug. Der Besitzer dieser Blasphemie, ein gewisser Pettersen aus Kopenhagen, gab zu Protokoll, er wisse nicht, wer Darwin sei, daß aber unter dem ehrwürdigen Einband ein anderes Buch versteckt sei: die Memoiren der berüchtigten Fanny Hill. Als man ihn fragte, woher er die Schweinerei denn habe, antwortete er: »Von Faridun und Faridun hat es aus Divonne, gleich über der Grenze, in Frankreich, drei Kilometer von der Schule entfernt.« Wie dann Monsieur Weiß pedantisch richtigstellte, in Divonne gebe es gar keine Buchhandlung, entgegnete Faridun, solche Druckerzeugnisse erwerbe man im Crazy Horse, einem Nachtlokal, wo für Geld alles zu haben sei.

– Was heißt »alles«, fragte der Direktor.

– Denken Sie nach, Monsieur Weiß! In Ihrem Alter sollte man das wissen.

Der Schulleiter zog es vor, nicht weiter zu bohren. Er

fragte nur, ob Faridun schon mehrmals das Crazy Horse aufgesucht habe. Da erwiderte der Perser ohne jeden Anflug von Gewissensbissen:
– Jeden Monat zweimal. Alle gehen hin, wenn sie ihr Taschengeld bekommen. Die Mädchen an der Bar rufen uns beim Vornamen.
Das Unheil war nicht mehr aufzuhalten. Es schwoll an wie eine Lawine. Monsieur Weiß wollte wissen, wer eigentlich der Entdecker dieses – nennen wir es – Nachtlokals gewesen sei. Er wolle den Namen. Er dulde keine Ausreden mehr. Diesen Stall werde er ausmisten. Jawohl. Und zwar mit eisernem Besen ... langes Schweigen. Schließlich meldete sich Vernet, der Erbe der vielgerühmten Schiffsreederei an der Atlantikküste. Er habe nichts zu verbergen. Er sei als erster im Crazy Horse gewesen. Es habe ihm gefallen, und da sei er auf den Gedanken gekommen, einige Kollegen mitzunehmen. Jetzt gehen alle hin. Ohne Ausnahme.
– Du hast uns viel gesagt, Vernet. Nur eines hast du unterschlagen. Von wem hast du die Adresse?
– Von dem, der auch die englische Kapuze ins Haus gebracht hat. Wer, sage ich nicht.
– Du wirst es sagen, sonst fliegst du.
– Sie werden es bereuen, Monsieur le Directeur.
– Wie heißt er?
– Bitteschön, wenn es sein muß. Er heißt wie Sie.
– Wie ich? Hier heißt niemand Weiß außer mir.
– So? Und Ihr Sohn Casimir, wie heißt denn der?
Das Verhör war beendet. Die Tragödie unbeschreiblich. Der Sohn des Schulleiters, Casimir, hatte Schande gebracht über den Kastanienhain. Casimir war ein liebenswürdiger Idiot, der im Garten arbeitete, Mist

verzettelte, Blumen stutzte und ins Schwimmbad pißte. Er war unzurechnungsfähig und gehorchte seinen Trieben, ohne sich zu schämen. Dafür schämten sich seine Eltern. Bis in den Himmel hinauf. Was er sich da geleistet hatte, kompromittierte die Schule, den Ruf der Familie, das Ansehen von Founex und der ganzen abendländischen Zivilisation. Jetzt galt es zu handeln! Die Welt brauchte einen Beweis, daß der Infektionsherd anderwärts zu suchen war. Ein Dokument mußte her! Ein ärztlicher Befund, daß Laura kein Gütezeichen mehr besaß. Sie hatte das Fieber ins Institut gebracht. Das Fieber der Begierde, wie Monsieur Weiß sagte. Eine Hure war sie, das mußte bewiesen werden! Schwarz auf weiß ... Darum entschloß sich der Direktor, nach Nyon zu telephonieren. Zum Haus- und Schularzt, Doktor Dupasquier, den er bat, eine Expertise anzufertigen. Es handle sich um die Ehre des Hauses und die Angelegenheit sei dringend. Wenn möglich noch heute. Einverstanden. Morgen früh. Zwischen zehn und zwölf. Herzlichen Dank, Herr Doktor. A bientôt!
Das war zuviel. Das schlug dem Faß den Boden aus. Wenn ich jetzt nichts unternahm, war ich mitschuldig. Man kaufte nicht nur die Arbeitskraft der Proletarier; auch über ihre Intimität wurde verfügt. Das durfte nicht passieren! Das war unmoralisch und gesetzwidrig im Quadrat. Proletarier aller Länder, vereinigt euch! Ich war doch nicht besser als Laura; ich verdiente nur mehr, aber ausgebeutet wurde ich wie sie. Ich war ihr Genosse und mußte ihr helfen. Ich ging hinauf und klopfte an ihrer Türe. Eine tiefe Frauenstimme antwortete: »Per favore!« Ich machte auf. Sie saß auf ihrem Bett. Entspannt und natürlich. Überhaupt nicht erschrocken,

daß ein Mann in ihre Kammer trat. Sie erkannte mich sofort und lächelte mir entgegen. Das war ein guter Anfang. Solidarität der Unterdrückten. Gemeinsames Schicksal verband uns, und ich lächelte zurück. Sie lud mich nicht ein, Platz zu nehmen. Aus dem einfachen Grund, daß es keinen Stuhl gab. Keine Sitzgelegenheit. Nur das Bett, eine Kommode und eine Schüssel darauf. Was sollte ich tun? Ich setzte mich neben sie, zündete eine Zigarette an und begann zu sprechen. Das heißt, ich sprach nicht sofort, sondern blickte sie an. Das war ein Fehler, denn sie glich einer Göttin. Einer klassischen Statue von Phidias oder Praxitel. Sie blinzelte und sprühte Gold. Ein warmer Duft ging von ihr aus. Sie trug eine Bluse aus schwarzer Seide. Darunter atmeten ihre Brüste. Regelmäßig und ruhig. Wenn ich jetzt nicht sprach, war ich verloren. Meine Zunge war schwer. Meine Worte waren ungeschickt:

– Sei vorsichtig, Laura! Sie wollen dich fertigmachen.

Sie lächelte. Runzeln bildeten sich auf ihren Schläfen.

– Sie wollen beweisen, daß du eine Schlampe bist. Verstehst du? Eine putana.

Jetzt spielte sie mit den Perlen ihrer Halskette und schaute in die Ferne.

– Der Chef schickt dir den Arzt von Nyon. Er wird dich untersuchen, ob noch alles da ist. Verstehst du, was ich meine?

Sie nickte und öffnete leicht die Lippen. Ihre Zähne waren weiß wie das Gefieder eines Schwans.

– Das darfst du nicht zulassen, Laura! Du mußt dich wehren! Zeig ihnen dein Klassenbewußtsein!

Sie antwortete nicht. Sie legte nur ihren Arm um meinen Hals und flüsterte: »Du bist lieb.« Sie küßte mich flüchtig, stand auf und gab mir ein Zeichen, ihr Zimmer zu verlassen. Als ich unter der Tür stand, hauchte sie »arrivederci«. Das war alles, aber ich war in Schweiß gebadet. Ich brannte lichterloh. Sie hatte auch mich verhext. Wie Chanson. Sie prickelte in meinen Nervenspitzen. Ich nahm ihren Duft mit. Ich spürte ihre Lippen auf meinem Mund und hörte ihre Samtstimme: »arrivederci«. War das viel oder wenig; oder gar nichts? Fand sie Gefallen an mir? Mehr als an Chanson, nehme ich an. Chanson sah aus wie ein Kaktus. Wie ein Mostfaß im Keller. Mit begehrlichen kleinen Äuglein und wurstigen Fingern. Im Vergleich mit ihm war ich ein Adonis, und trotzdem war ich eifersüchtig. Weil ich verliebt war. Weil ich sie haben wollte, wie er. Er war mein Gegenspieler geworden und mir schien, er habe etwas, was mir fehlte. Etwas Geheimnisvolles. Ein Licht in den Pupillen, das funkelte und flackerte. Ich hatte keines. In ihm war Glaube. In mir waren Zweifel und ätzende Skepsis.

Im Laufe einer Nacht waren wir Rivalen geworden. Bisher hatten wir uns respektiert. Mit allen unseren Meinungsverschiedenheiten. Er hatte meine Dogmen geduldet und ich die seinen. Jetzt war alles anders. Er hielt mich für einen Fanatiker. Ich ihn für einen Dummkopf. Laura hatte uns auseinandergebracht.

Am darauffolgenden Morgen begegneten wir uns im Lehrerzimmer. Kalt und aggressiv. Chanson wußte alles, das fühlte ich. Er grüßte mich nicht und sagte trocken:

– Um zehn kommt der Arzt.

– Wir können uns beglückwünschen, gab ich zurück, wir haben geschwiegen zu dieser Schurkerei.
– Er wird es nicht wagen.
– Er wird dafür bezahlt. Für Geld macht man alles, soviel ich weiß.
– Laura wird ihn nicht hereinlassen.
– Dann muß sie nach Italien zurück.
– Ihr werdet staunen, alle miteinander. Das Mädchen ist unberührt.
– Ich hoffe das Gegenteil. Sie ist fünfundzwanzig.
– Sie ist rein wie ein Gletschersee.
– Sie ist eine Frau aus Fleisch und Blut. Sie pfeift auf eure Frömmelei.
Chanson schnellte auf mich zu und zischte mir ins Gesicht:
– Was gilt die Wette?
– Wenn sie keusch ist, erwiderte ich, laß ich mich taufen, und du?
– Wenn sie so dreckig ist wie alle andern, will ich Kommunist werden, jawohl, und der Teufel soll mich holen!
– Es gibt eine dritte Lösung, sagte ich böse grinsend, vielleicht hat sie ihren Proletenstolz und schmeißt ihn raus. Dann werden wir nie wissen, ob sie ein Mädchen ist oder eine Frau. Was machen wir dann?
– Dann hätten wir beide gewonnen, entgegnete Chanson nachdenklich.
– Oder beide verloren und wir vertauschen unsere Kappen.
Es wurde ein hektischer Tag. Punkt zehn Uhr brauste ein gelber Sportwagen über den Kiesweg. Das war er: Doktor Dupasquier, der Arzt von Nyon. Braunge-

brannt, silbrige Schläfen, rohseidener Anzug, ein Playboy aus dem Modejournal, der mit elastischen Sprüngen die Freitreppe erklomm. Vor dem Hauptportal stand Monsieur Weiß. Ein zerquetschtes Lächeln über dem Mund, kummervolle Augen und demütige Gesten:

– Ich bin Ihnen unendlich verpflichtet, Monsieur. Sie haben eine peinliche, eine höchst unerquickliche Aufgabe übernommen ...

– Nicht der Rede wert, mon ami. Ich tue meine Pflicht als Arzt und Staatsbürger.

– Darf ich Sie bitten, nach beendeter Untersuchung noch schnell ...

– Sie bekommen eine Expertise, mon cher. Ich bin zu Ihren Diensten.

– Scheuen Sie keine Mühe, Docteur! Es soll kosten, was es kostet.

– Geht in Ordnung, Monsieur Weiß. Nihil humani a me alienum puto.

Ein Gentleman, dieser Dupasquier. Nichts Menschliches sei ihm fremd. Und diese Bildung! Er zitierte den Dichter aus dem Kopf, und dazu auf lateinisch. Dann stieg er ins Mansardengeschoß und verschwand im Zimmer der Göttin. Seine Mission war vertraulich – hieß es –, aber in Wirklichkeit von erschreckender Publizität. Die ganze Schule halluzinierte. Fieberphantasien schüttelten Lehrer und Schüler. Der Unterricht ging zwar weiter, aber im Geist schweiften wir hinunter, in die tieferen Regionen der Weltgeschichte. Es war ein Viertel nach zehn. Ich dozierte, wie Hannibal auf die Hauptstadt stürmte, um sie in die Knie zu zwingen. Sie legte sich hin. Sie kapitulierte vor der Übermacht und

wehrte sie sich nicht? Es war halb elf. Mit zehntausend Spießen erzwang er den Übergang über die Trebbia. Mit Pferden und Elephanten. Mit einem gelben Sportwagen und rohseidenem Anzug. Er zückte den Scheidenspiegel, das Rektoskop, den Harnröhrenkatheter und blickte hinein, in die Zaubergrotte der Kalypso. Sie lag auf dem Bett. Unbekleidet, und Hannibal überquerte den Futa-Paß. Er erreichte den trasimenischen See. Er säbelte sie zusammen, die entmutigten Legionen, und eilte Rom entgegen. Nun stand er vor dem Ziel. Hannibal ante portas. Der Eroberer vor den Toren. Es war Viertel vor elf. Unsere Gedanken kreisten um einen einzigen Punkt, um das feuchtglitzernde Zentrum unserer Sehnsucht. Immer wieder schauten wir auf die Uhr. Die Expertise mußte längst zu Ende sein. Wie lange konnte sie dauern? Zehn, fünfzehn, im äußersten Fall vielleicht zwanzig Minuten, aber nicht dreiviertel Stunden. Der Schulleiter stand im Rektorat. Er starrte durchs Fenster. Über die Weinberge. Auf den blauen See hinaus. Was war los? Da konnte doch etwas nicht stimmen, aber plötzlich wurde die Tür aufgerissen und der Playboy stürzte herein. Verstört, außer Atem, mit irrem Blick. Einen Moment blieb er stehen und sagte kein Wort. Da räusperte sich Monsieur Weiß, der nur zwei Worte hervorbrachte:
– Die Expertise!
Der Arzt stand versteinert und erwiderte:
– In bester Gesundheit; Sie können beruhigt sein …
Und damit drehte er sich um und ging. Das war alles. Weg war er, und wir hatten das Nachsehen, die Lehrer, die Schüler und vor allem der verdatterte Direktor. Wir wußten nichts. Weniger als nichts und sollten es nie er-

fahren. Der Arzt berief sich auf das Berufsgeheimnis und erklärte, nur einem ordentlichen Richter Rechenschaft zu schulden.
Unsere Wette blieb unentschieden. Keiner hatte gewonnen. Weder Chanson noch ich. War sie ein Gletschersee oder ein Schlammtümpel. Eine heilige Jungfrau oder ein Mensch aus Fleisch und Blut? Hatte sie ihren Proletarierstolz oder ließ sie ihn gewähren? Eine Gleichung mit lauter Unbekannten, doch unser Leben war nicht mehr dasselbe. Chanson hatte seine Illusionen verloren und ich die meinen. Er begann zu zweifeln an seinem Traum von der Reinheit. Ich an meinem Märchen vom Klassenbewußtsein. Chanson ging zu den Kommunisten und ich . . . ich ließ mich zwar nicht taufen, doch versuchte ich insgeheim, wenn es niemand merkte, mit dem Herrgott ins Gespräch zu kommen. Manchmal betete ich sogar: für ihr Seelenheil, damit sie – auch ohne Proletarierstolz und Klassenbewußtsein – in den Himmel komme.
Das war das Wunder von Founex. Wir bekehrten uns übers Kreuz und vertauschten unsere Kappen.

Zwillingsbrüder

Meine Beziehung zu ihm ist peinlich. Seit zwanzig Jahren haben wir uns nicht geschrieben. Jeder Kontakt ist abgebrochen. Zwischen uns hängt die Zeit, der eiserne Vorhang und eine Welt von Mißverständnissen. Bis heute weiß ich nicht, wie es soweit kommen konnte. Aber für meinen Vater war das ganz einfach:
– Du hast dich verliebt in diesen Mann, na und? Jeder hat eine schwule Komponente!
Das ist ein Quatsch, selbstverständlich. Psychoanalytischer Humbug. Ich und ein Mann. Männer sind mir gleichgültig. Ich war und bin ein Weiberheld. Von schwuler Komponente keine Rede! Dann schon eher die Vermutung des alten Kornetzki, ich hätte eine Neigung zur Überspanntheit, vielleicht auch zur Sentimentalität und manchmal zu Verirrungen des Geschmacks. Auch er irrte sich. Ich habe rückblickend das Gefühl, daß ich ganz einfach zum Opfer meiner Illusionen wurde. Daß ich mir einbildete, dieser Rakoschi sei die Verkörperung des sozialistischen Humanismus, ein Prachtexemplar des »neuen Menschen«.
Eines steht jedenfalls fest. Mein Verhalten war abscheulich. Es ist erklärbar, eventuell auch begreiflich, aber entschuldbar ist es auf keinen Fall. Er hat mir alles anvertraut, als sei ich sein Bruder. Ausgeliefert hat er sich. Seine ganze Leidenschaft erzählte er mir. Seine Passion, die ihn – ich gebrauche seine Worte – verzehrt und peinigt seit jenem Aprilmorgen, da er ahnungslos aus seinem Hause trat. Ich unterstreiche noch einmal, damit

mich Kornetzki nicht der Geschmacklosigkeit bezichtigt, daß der nun folgende Bericht von Rakoschi stammt. Ich habe meine guten Gründe, ihn nachzuerzählen, doch die stilistischen Entgleisungen sind von ihm, nicht von mir.
Er trat also aus der Villa, die er an der Oetwösch Utza bewohnte und in der er bis dahin ein behagliches, ein geradezu unbekümmertes Leben geführt hatte. Er war verheiratet und umsorgte außer seiner attraktiven Frau zwei Töchter, die zu vollkommenen Grazien heranwuchsen. Man konnte ihn ohne Übertreibung einen Glückspilz nennen, wenn er allmorgendlich mit wuchtigem Schlapphut, aufgestelltem Kragen und Filzgamaschen an den Schuhen seinen Garten durchschritt. Er war eine imposante Erscheinung. Hochgewachsen und selbstbewußt. Alles an ihm war auserlesen, sogar sein Name, der nach Husarenoffizier klang: Sandor Rakoschi. Auf seiner Visitenkarte stand »Filmregisseur«, was mir etwas unbescheiden vorkam. Ich sagte Sandor Rakoschi – Mensch hätte mir besser gefallen. Es wäre weniger gewesen und mehr.
Diesen Vorschlag fand er glänzend. Von nun an druckte er Visitenkarten mit der Aufschrift »Sandor Rakoschi – Mensch, nebenamtlich Filmregisseur«. Ich kann nicht beurteilen, wie gut oder schlecht seine Filme sind. Sie spielen meist vor dem Krieg, im Proletariermilieu, und gehören, soweit ich das beurteilen kann, zur Gattung des sozialistischen Realismus. Eines weiß ich aber mit Gewißheit. Man spricht darin ausschließlich ungarisch. Untertitel gibt es keine, und die Geschichten sind für mich unverständlich. Wenn sie jedoch nur halb so spannend sind wie seine Abenteuer – er ist ein her-

vorragender Erzähler –, verdienen sie höchste Anerkennung.
An jenem Aprilmorgen durchquerte er seinen Garten und trat auf die Straße, um zur Garage zu gehen. Da prallte er mit einem kleinen Mädchen zusammen. Oder umgekehrt. Das kleine Mädchen mit ihm, denn es schoß in seine Seite wie eine Kanonenkugel und hätte ihn beinahe umgestürzt. Ob das zufällig war oder beabsichtigt, ist heute nicht mehr zu klären, aber ich nehme an, daß sie ihm aufgelauert hatte, wie sie es eben machen, die respektlosen Gören. Zu ihrer Entlastung kann ich höchstens sagen, daß sie ihn um Entschuldigung bat. Das spricht für sie, finde ich. Sie blinzelte zu ihm empor und flüsterte vergnügt, er möge ihr nicht barsch sein, sondern die Tage zählen.
– Was für Tage, fragte mein Freund verwundert.
– Bis wir heiraten, Sie und ich. Da wird noch mancher Sommer verblühen ...
Es muß hier gesagt werden, daß dieses Kind von raupenhafter Häßlichkeit war. Wenn sie nicht so ausgefallene Ausdrücke gewählt hätte, würde Rakoschi sie ignoriert haben. Aber sie beunruhigte ihn. Er entgegnete, ihr Angebot sei zweifellos schmeichelhaft, doch befürchte er, sie sei noch etwas jung für solcherlei Pläne.
– Ich kann warten, lächelte sie, ich bin jünger und habe Zeit.
Das war eine Herausforderung, auf die mein Freund nur antworten konnte, er sei verheiratet und gedenke keineswegs, seine Familie im Stich zu lassen.
– Alle richtigen Männer sind verheiratet, erwiderte das Kind achselzuckend, und alle geraten aufs Glatteis.

– Meinst du? fragte Rakoschi nun doch etwas verunsichert.
– Fast alle, gab sie zurück und schaute vielwissend in den Himmel. Ich habe im Sinn, Schauspielerin zu werden, wie meine Mutter. Früher oder später müssen Sie mich engagieren. Zu einem Ihrer Filme oder so. Ich werde alles tun, um Sie zu verwirren.
– Das haben schon andere versucht.
– Sie werden ausrutschen, Herr Rakoschi, glauben Sie mir!
– Deine Mutter ist Schauspielerin, sagst du? Dann kenne ich sie wahrscheinlich.
– Sie kennen sie bestimmt. Sie heißt wie ich: Anny Kardosch.
– Das ist deine Mutter? Ich würde sie vergöttern an deiner Stelle.
– Ich vergöttere sie. Sie hat mich zur Welt gebracht. Aber Sie liebe ich. Das ist etwas anderes.
Allerdings war das etwas anderes. Rakoschi spürte, daß da eine Lunte glimmte und daß er sie löschen mußte, bevor ein Feuer ausbrach. Darum sagte er so kühl wie möglich:
– Und wenn ich deine Leidenschaft nicht teile? Was dann?
– In zehn Jahren bin ich zwanzig und Sie fünfzig. Können Sie sich das vorstellen?
Mit dieser Frage drehte sie sich um die eigene Achse und rannte davon. Man kennt ja das Märchen vom häßlichen jungen Entlein, das bestimmt war, ein Schwan zu werden. Ich nehme an, daß die kleine Anny so ein Entlein war, als sie Rakoschi ihre Liebe erklärte, und daß mein Freund das ahnte. Mit dem Instinkt des Regis-

seurs, der eine besondere Antenne hat für Entpuppungen und dramatische Metamorphosen.
Ich erwähnte bereits, daß sie einer Raupe glich und noch lange nicht die Libelle war, die uns später die Sinne betörte. Nach jenem Zwischenfall fuhr Rakoschi in die Stadt. Das Kind hatte ihn verblüfft – ein paar Minuten lang –, doch als er im Studio ankam, hatte er sie vergessen.

Ich frage mich heute noch, warum meinem Freund so viel daran lag, mir diese Geschichte zu erzählen. Mit allen Einzelheiten und phantastischen Ausmalungen. Wie konnte er mir über den Weg trauen, wo er wußte, aus welchem Stoff ich gemacht bin. Vielleicht verfolgte er gewisse Absichten. Ich weiß es nicht. Jedenfalls führte er mich zur Fischerbastei. Als seinen Gast. Er bestellte erlesene Speisen und seltene Weine, um die erforderliche Stimmung zu schaffen, in der er sein Geheimnis mit mir teilen konnte. Er machte mich zum Komplizen seines Abenteuers. Bei Kerzenlicht und Zigeunerweisen. Er brauchte ganz offensichtlich einen Mitwisser. Einen Zwillingsbruder, und es ist ihm gelungen. Er umgarnte mich mit seinen Worten, bis ich selbst nicht mehr wußte, wer der Held ist. Er oder ich. Das scheint die Theorie meines Vaters zu unterbauen. Eine homoerotische Euphorie. Aber der Schein trügt.
Rakoschi fesselte mich, sagen wir, literarisch; durch seine Erzählung. Mit funkelnden Vokabeln schilderte er, wie ihn das Mädchen zum zweitenmal überrumpelte. Zehn Jahre später. An einem Sonntagnachmittag im August. Er habe unter einem Pflaumenbaum gelegen, in seinem Garten, und in einem Buch geblättert, als je-

mand an der Tür klingelte. Mein Freund sperrte auf und meinte, ein Traumgebilde zu erblicken. Die Straße war menschenleer. Die Nachbarn hatten sich in den Schatten verzogen. Das war nicht real, was er sah. Eine Nymphe. Mit rotblondem Haar bis zu den Hüften. Das war der Schwan aus dem Märchen. Mit elfenbeinheller Haut und perlblauen Augen.

– Wen suchen Sie? fragte er mit bröckeliger Stimme.

– Ich bin jetzt zwanzig und Sie fünfzig. Erinnern Sie sich?

– Wie durch einen Schleier. Helfen Sie mir! Wie war doch Ihr Name?

– Ich komme aus Wien, Herr Rakoschi. Dort besuche ich die Theaterschule. Wenn alles gut geht, schließe ich im nächsten Frühling ab.

– Im nächsten Frühling, sagen Sie? Vielleicht habe ich eine Rolle für Sie. Wollen Sie nicht eintreten?

– Und Ihre Frau? Sie sind doch verheiratet.

– Wir können einen Tee trinken und plaudern.

– Nein danke! Zu zweit oder gar nicht.

– Warum sind Sie hergereist? Meinetwegen?

– Gehn wir spazieren, Herr Rakoschi! In den Wald hinauf, dort ist es kühler.

So eine Frau war ihm noch nicht begegnet. Er war kein unbeschriebenes Blatt. Ganz und gar nicht. Er war ein Odysseus, der von Insel zu Insel segelte und nie genug bekam. Darum faszinierte er mich. Weil er verliebt war. Ins Leben. Weil jeder Tag eine Wette war für ihn. Er suchte das Geheimnisvolle, das Gefährliche, das Ungewisse. Den Kommunismus zum Beispiel, weil er ein Wagnis war. Ein Experiment, von dem man nicht wissen konnte

– damals –, ob es gelingen oder zur Katastrophe führen würde. Trotz sommerlicher Hitze zog Rakoschi einen Mantel an, um nicht zu frösteln. Als er die Haustür ins Schloß warf, wußte er, daß er sich auf ein Abenteuer einließ, das sein Leben verändern konnte. Sie schritten durch die Stille des Nachmittags. Er beklommen und verwirrt. Sie zielbewußt und sicher. Eine Hexe war sie, sagte Rakoschi, unverfälscht, doch mit allen Salben geschmiert. Er sah hilfesuchend ins Tal hinunter, wo Hochhäuser und Fabrikschlote zum Himmel ragten. Die Donau schlängelte sich schmutzbraun durch den Betonwald, und er merkte, daß er verloren war. Jetzt mußte er flüchten; aber er flüchtete nicht. Es war zu spät. Sie stolperten über einen Wurzelweg. Der Wald schloß sich um sie. Rakoschi spürte, wie das Mädchen ihn musterte. Wie eine Kreuzotter, die ihr Opfer fixiert. Beide warteten auf ein Wort des anderen, bis plötzlich sie lachte:

– Odysseus in der Höhle der Circe.

– Sie verlockte den Helden zur Liebe, heißt es bei Homer, aber er wehrte sich mit dem Schwert.

– Aus Angst vor sich selbst, gab sie zurück, denn er hatte Lust auf ihr Fleisch. Nur war er verklemmt. Wie alle Männer.

– Odysseus verklemmt? fragte er. Wie kommen Sie darauf?

– Weil er geblieben ist. Er hat sich ergötzt an ihr. Ein ganzes Jahr lang, obwohl er Eile hatte, angeblich, zurück nach Ithaka. Zu Penelope, seiner Frau.

– Was wollen Sie von mir?

– Jetzt sind Sie auf dem Glatteis, Herr Rakoschi, oder etwa nicht?

– Nun weiß ich wieder, wer Sie sind, sagte er mit dürrer Stimme – Anny Kardosch. Die Tochter der Schauspielerin.
– Ich wollte wetten mit Ihnen, erinnern Sie sich? Sie werden ausrutschen, habe ich prophezeit ...
Sie blieb stehen. In einem Dickicht von Schachtelhalm und Farnkraut. Sie verschränkte die Arme hinter dem Nacken. Sie blickte durch ihn hindurch. Blitzte ihn an und gebot ihm wortlos, sie zu nehmen.
Er stürzte in ihren Körper. Er vergaß das Heute und das Gestern. Er begann eine neue Zeitrechnung. Alles seine Ausdrücke, mein teurer Kornetzki, nicht die meinen. Das alles hat er mir so erzählt, und wußte, daß er mich erregte.
Ich kann mich nicht beklagen, daß ich zu wenig erlebt habe, aber so ein Feuervogel ist mir nie über den Weg geflogen. Darum war es unklug, mir das alles anzuvertrauen. Es gelang ihm, mich aus der Geometrie zu schleudern.
Während die Kerzen langsam zusammentropften und der Primgeiger immer sehnsüchtiger dem Morgen entgegenfiedelte, kam in mir der Gedanke auf, mich einzuschleichen in diese Geschichte. Es packte mich das Verlangen, teilzuhaben am Abenteuer meines Freundes. Ein Molekül zu werden seines Lebens, das mir intensiver schien und erhabener als das meine.
Mein Vater triumphiert. Genau das hat er behauptet. Ein Molekül seines Lebens. Eine schwule Komponente; aber er befindet sich im Irrtum. Ich wollte nichts weiter als hineinwachsen – jetzt verzieht Kornetzki das Gesicht –, ich wollte einsteigen in diese Welt der Leidenschaft. Nicht als neutraler Zuschauer aus der Schweiz.

Nein. Ich wollte endlich mitmachen, statt immer bloß danebenzustehen und zu staunen. Bis zu diesem Punkt war Rakoschi noch die Hauptfigur der Erzählung, aber in meiner Vorstellung begannen die Konturen zu verschwimmen. Ich wußte nicht mehr, welcher von uns beiden der Odysseus war und ob die verliebte Circe ihn verführte oder mich. Ich verliebte mich in Anny Kardosch, ohne sie zu kennen. Ohne zu wissen, wie sie aussah. Das will nicht heißen, daß ich schon im Sinn hatte, ihn zu hintergehen. Keineswegs. Ich glaubte an die Loyalität zwischen Genossen. Wenn ich ihn betröge, würde ich unsere Freundschaft verraten. Unsere Überzeugung. Unser kommunistisches Ideal, und ich fragte ihn, was weiter geschehen sei:
– Wie ging er zu Ende, euer Nachmittag?
– Er ging nicht zu Ende, entgegnete Rakoschi, dem meine Frage sichtlich Pein bereitete. Ich bin eingeschlafen, für einen kurzen Augenblick, und als ich die Augen öffnete, war sie weg.
Der Himmel färbte sich silbergrau. Hinter den Höhenzügen von Buda dämmerte der Morgen. Ich hörte gebannt zu, dem Schluß seines Berichts. Dem vorläufigen Schluß, um es genauer auszudrücken, denn die Geschichte hat uns auseinandergebracht. Das war unser letztes Zusammentreffen. Ich werde nie wissen, was aus dem merkwürdigen Paar geworden ist. Dieser vorläufige Schluß war ungewöhnlich und wild:

Es geschah am Silvesterabend desselben Jahres. Mein Freund war dabei, die Krawatte auszuwählen, mit der er am Prominentenball erscheinen wollte. Seine Frau half ihm und schlug eine dezentere Farbe vor, was, wie

sie sagte, angesichts seiner ergrauten Schläfen vernünftiger sei. Da riß jemand an der Hausglocke. Rakoschi eilte hinunter. Er erwartete niemanden und hatte auch nicht im Sinn, sich belästigen zu lassen. Er sperrte auf und erblickte eine Fata Morgana. Eine Schneekönigin im flockigen Hermelin. Eine unwirkliche Melusine mit glitzernden Brillantspangen im Haar. Mein Freund brachte kein Wort hervor. Er stand da, wie damals im August. Überwältigt und verlegen, bis endlich die Erscheinung zu sprechen anfing:
– Ich komme aus Wien, Herr Rakoschi, um mit Ihnen ins neue Jahr zu tanzen. Darf ich eintreten?
– Wozu, um Gottes willen? Warum sind Sie nicht im Westen geblieben? Hier schwimmt der Abschaum obenauf. Alles ist verpöbelt in diesem Land und verbauert.
– Ich werde mit Ihnen übers Meer gleiten. Bis zum Horizont und noch weiter hinaus.
– Verzeihen Sie, aber ... wir sind auf dem Sprung in die Stadt zu fahren. Ich meine ... die ganze Familie, das heißt meine Frau und meine Töchter. Wir feiern im Parlamentsgebäude. Ganz Budapest wird dort sein.
– Ob ich eintreten darf, habe ich gefragt. Wenn Sie Angst haben, kann ich verschwinden.
Rakoschi schämte sich. Er führte sie ins Haus und stellte sie vor als Anny Kardosch, die Tochter der berühmten Tragödin und selbst eine vielversprechende Schauspielerin, die soeben aus Wien gekommen sei. Das entsprach der Wahrheit, doch niemand wollte es glauben. Seine Frau durchschaute die Lage und verstummte für den Rest des Abends. Die Töchter musterten das Mädchen mit offenem Widerwillen. Es war klar. Sie war mehr für

Rakoschi als eine vielversprechende Schauspielerin, und die Silvesternacht verhieß nichts Gutes, um so mehr als mein Freund ankündigte, daß Anny mitfeiern werde und daß sich alle über ihren Besuch freuten. Niemand freute sich. Im Gegenteil. Die Spannung war unerträglich. Die ältere Tochter – sie hieß Ilona – versuchte abzulenken und fragte hinterhältig:
– Unter welchem Sternzeichen sind Sie geboren, Fräulein Kardosch? Ich würde sagen, Sie sind ein Skorpion.
– Das bin ich, gab Anny zur Antwort, woher wissen Sie das?
– Weil alle Spieler zu diesem Tierkreis gehören. Schauspieler, Taschenspieler, Falschspieler. Picasso zum Beispiel, Joseph Goebbels ...
– Und Tom Feerebee, ergänzte die Jüngere, namens Erschebet, die lauernde Katzenaugen hatte und stets gewillt schien, einen Skandal anzuzetteln. Wissen Sie, wer das ist?
– Nie gehört, antwortete Anny.
– Tom Feerebee warf die Atombombe auf Hiroschima. Er tötete hunderttausend Menschen und war schön wie ein Apollo.
– Was willst du damit sagen, Erschebet? fragte Rakoschi außer sich.
– Nichts, gab sie zurück, er war auch ein Skorpion.

Was mir mein Freund erzählte, wurde immer spannender, doch es begann mich anzuwidern. Ich hatte zuviel getrunken. Der Primgeiger schluchzte mir die Ohren voll, und ich reagierte mit Verspätung. Was hatte er da

gesagt? In Ungarn sei der Abschaum an der Macht? Das war doch nicht mein Genosse, der so sprach. Alles sei hier verpöbelt – hat er behauptet – und verbauert. Was war denn plötzlich so schlecht am Pöbel? Und was störte ihn an den Bauern? Jahrelang waren wir uns einig gewesen. Über die historische Rolle der Unterklassen bei der Geburt einer neuen Welt. Über das Proletariat als Avantgarde im Kampf um den Kommunismus. Mein Prachtmensch war zum Feind übergelaufen. Ganz ohne Zweifel. Das Volk hatte aufgehört ihm zu gefallen. Und er sagte es unumwunden, als setzte er mein Einverständnis voraus. Meine Zunge war schwer. Stumm und mißmutig lauschte ich, wie er mir den weiteren Verlauf jenes Silvesterabends schilderte:
– Ein Taxi brachte uns zum Parlamentsgebäude. Ich half den vier Damen aus dem Wagen. Anny Kardosch war die letzte. Die Stimmung war eisig, doch glücklicherweise kamen Bekannte vorbei. Sie erkundigten sich nach meiner Gesundheit, nach der weiteren und näheren Verwandtschaft und schließlich nach der unwirklichen Erscheinung, die da aufgetaucht war wie ein Komet am Winterhimmel. Ich wich allen Fragen geschickt aus und ging soweit, die Märchenprinzessin als meine unsterbliche Geliebte vorzustellen, was den Gerüchtemachern den Wind aus den Segeln nahm. Wie ernst jedoch meine Scherze waren, begriff nur meine Frau; denn sie kannte mich in- und auswendig.
Der Ball verlief hektisch, wie alle Dutzendveranstaltungen. Während des ganzen Abends tanzte ich mit den verschiedensten Frauen. Mit den schönsten, den bekanntesten, den einflußreichsten. Zwischendurch spürte ich, daß sich etwas zusammenbraute. Hin und

wieder suchte ich sie mit den Augen, wie sie mit jemandem sprach, an einem Glas nippte und mich scheinbar vergessen hatte. Doch plötzlich, zu vorgerückter Stunde, wurde ich am Ärmel gepackt und auf die Tanzfläche gedrängt. Jetzt war es soweit. Sie zog mich an sich heran. Sie umschlang mich mit ihren weißen Armen. Sie schmiegte sich an meinen Körper und flüsterte mir ins Ohr, ich sei verloren. Der Skorpion werde mich stechen. Gift habe sie in ihrem Stachel, und jeder Widerstand sei vergeblich. Das Orchester spielte die große Polonäse. Feierlich und glanzvoll. Sie schaute mir tief in die Augen und fragte, woran ich denke.
– Daß ich fünfzig bin und du zwanzig ...
– Fürchtest du mich?
– Ich bin schwach wie alle Männer.
– Odysseus in der Höhle der Circe.
– Was willst du?
– Dich, Rakoschi. Dich will ich, und ich werde dich haben.
In jenem Augenblick gingen die Lichter aus. Die Glokken schlugen Mitternacht. Die Musik verstummte und es geschah – Rakoschi blickte jetzt kirschäugig in die Ferne – es geschah, was mein Leben von Grund auf veränderte ...
Kornetzki soll jetzt nicht spotten, denn es kommt noch blumiger, und ich schwöre, dies sind nicht meine Worte, sondern seine:
– Sie zerrte mich am Schopf, sie riß mich zu sich herunter und biß mich in die Wange, daß ich aufheulte vor Schmerz. Ich ließ sie los, ich schnappte nach Luft, ich suchte mein Gleichgewicht wiederzufinden, doch da ging das Licht wieder an. Ich stand vor einem Wand-

spiegel und sah, daß mir das Blut übers Gesicht strömte. Es war mir gleichgültig. Ich hatte nichts mehr zu verbergen. Ich drehte mich um, daß jeder mich sehen konnte und ... wo war sie, die Furie, die mir diesen Schmerz zugefügt hatte? Ich sah sie nicht. Ich irrte durch den Saal, suchte sie im Vestibül und in den Korridoren. Sie war verschwunden. Weggezaubert. Ich eilte die Treppe hinunter. Ins Foyer und von dort auf den schneebedeckten Platz. Vergeblich. Sie war weg, und ich kehrte zurück. Jetzt wurde mir bewußt, daß ich zerfetzt war.

Ich sagte schon, daß ich zwar zuhörte, aber ohne einen Funken von Sympathie. Rakoschi hatte aufgehört, mein Freund zu sein. Höflichkeitshalber erkundigte ich mich, was weiter passiert sei, doch es interessierte mich kaum.

– Nichts weiter, gab Rakoschi zurück, und Tränen rannen ihm übers Gesicht, während der Primgeiger geschäftstüchtig zu ihm herantrat. Nichts geschah mehr in jener Neujahrsnacht. Oder doch! Ich traf meine Tochter, die strenge Erschebet, die auf meine Verletzung starrte und mich ansah wie einen Erbfeind. Ich fragte, was los sei, und sie spuckte mir ins Gesicht. Dann ging sie zu ihrer Mutter zurück. Am nächsten Morgen bat ich einen befreundeten Advokaten, mit meiner Frau die Scheidungsformalitäten zu besprechen. Seither wohne ich bei Bekannten, wie du weißt, auf der Margareteninsel.

– Und, fragte ich scheinheilig, willst du nicht nach Wien fahren? In den goldenen Westen? Zu deiner Märchenprinzessin?

– Ich habe dreimal einen Paß verlangt. Er wurde mir

dreimal verweigert.
Hier endete sein Abenteuer, und es begann das meine. Die Geschichte vom Liebesbiß war so unheimlich, daß ich an nichts anderes mehr denken konnte. Auch ich träumte davon, zerfetzt zu werden. Wie gesagt, Rakoschi hatte aufgehört, mein Freund zu sein, und es stand mir frei, nun sein Gehege zu betreten. Mehr noch. Ich redete mir ein, daß ich ihn strafen müßte für seinen Verrat. Für seinen Treuebruch an unseren Idealen. Darum beschloß ich, sie zu treffen. Ich wußte nicht genau, wie ich das anstellen würde, wie ich sie aufmerksam machen sollte auf meine Person. Was konnte ihr imponieren, fragte ich mich. Sie hatte ihm gesagt, daß sie ihn wolle und keinen anderen. Meinte sie das wörtlich, und war ich wirklich ein anderer? Ich hatte mich so bedingungslos mit ihm identifiziert, daß ich zum zweiten Rakoschi geworden war. Ein Überrakoschi, den ich nachzuahmen begann. Ich ging wie er. Ich gestikulierte wie er. Ich hatte seinen Tonfall übernommen und betonte mit magyarischer Emphase die Anfangssilben der Wörter. Genügte das, um sie zu gewinnen? Vielleicht; aber nicht sicher. Seit zehn Jahren träumte sie von Rakoschi. Ich konnte ihn wohl imitieren, aber ersetzen konnte ich ihn kaum. Oder doch? Natürlich konnte ich ihn ersetzen. Ich konnte in den Westen fahren, nach Wien, und er nicht. Ich mußte einen Weg finden. Aber welchen? Für Signale der Vernunft schien sie nicht sonderlich empfänglich. Da fiel mir ein, daß sie sich für Sterndeuterei interessierte. So fing ich an, mich in die Schicksalskunde einzuarbeiten. Ich befragte das Horoskop, ob mir die Gestirne irgendwelche Chancen einräumten. Schon auf der Rückfahrt nach Zürich machte

ich mich ans Studium einschlägiger Schriften, die ich am Bahnhof zusammenkaufen konnte. Was ich erfuhr, war entmutigend. Entweder war ich der falsche Mann für Anny Kardosch, oder diese angebliche Wissenschaft ist ein Unsinn. Nach übereinstimmender Meinung aller Autoren sind Skorpionfrauen rechthaberisch und streitsüchtig. Sie haben eine Neigung zu Jähzorn und Grausamkeit. Sie seien unnachgiebig und stürben lieber, als einzugestehen, einen Fehler begangen zu haben. Gott behüte mich vor so einem Ungeheuer, sagte ich mir, und versuchte die Sache zu vergessen. Es gelang mir nicht. Ich sah sie stets vor mir, die Schwanenjungfrau, die plötzlich auftauchte, als wäre sie dem Wasser entstiegen. Ich spürte, wie sie mit mir tanzte, wie sie sich polypenhaft an mich heransog, wie sie den Durst an mir löschte, wie sie mich mit Küssen bedeckte, bis ich schließlich in ihrem Elfenbeinkörper zerrann. Was war das? Hatte ich Sehnsucht nach ihr oder nach den hypnotischen Visionen des Filmregisseurs? Wem gehörte meine Leidenschaft? Ihm oder ihr? Nach einigen Tagen setzte ich mich an meinen Schreibtisch und verfaßte einen Brief folgenden Inhalts: »Sehr geehrtes Fräulein Anny Kardosch. Ich möchte Sie treffen. Wenn möglich in Wien, wo Sie – wie ich höre – bald Ihre Schauspielschule abschließen werden. Ich habe den Wunsch, mit Ihnen ein kurzes Gespräch zu führen, das für Ihre Zukunft nicht gleichgültig sein dürfte. In Erwartung Ihrer baldigen Antwort verbleibe ich mit vorzüglicher Hochachtung« usw.
Das Schreiben war kurz und schlau. Es verriet nicht, was ich im Schild führte, ließ aber vermuten, daß es sich um ein eventuelles Engagement handelte. In Kenntnis

komödiantischer Eitelkeit konnte ich hoffen, von ihr zu hören, was auch unverzüglich geschah. Noch in derselben Woche erhielt ich die Antwort, in der es hieß, sie wolle gerne mit mir zusammentreffen, und zwar in Wien, am 10. Juni dieses Jahres. Um zwölf Uhr mittags im Café Sacher, das mir ja zweifellos ein Begriff sei. Das war alles. Ihre Handschrift war so, wie ich sie mir vorgestellt hatte. Stilvoll und persönlich. Widerborstig und stolz, wobei man meinen konnte, die Botschaft sei mit Violinschlüsseln übersät. Nicht eigentlich verschnörkelt, aber verspielt und bewußt mysteriös.
Der zehnte Juni war also mein Tag. Im Café Sacher sollte ich auf sie warten, wobei ich zwar alles über sie wußte, ohne mir jedoch vorstellen zu können, wie sie aussah. Eine Schneekönigin. Eine Kreuzotter mit perlblauen Augen. Eine Circe mit rotblondem Haar. Was war das? Etwas mehr als nichts, doch es zerwühlte meine Phantasie. Rakoschi hatte sie beschrieben. Mit pedantischer Ausführlichkeit und umständlichem Schwulst, doch wäre es ihm nicht eingefallen, mir ein Bild von ihr zu zeigen. Wer weiß? Vielleicht besaß er gar keines. Woher denn auch? Er hatte sie ja nur dreimal gesehen. Einmal, als sie zehn Jahre alt war. Vor seinem Haus. Zum zweiten Mal an jenem Sonntag im August. Und dann am Silvesterabend, wo sie ihn buchstäblich in Fetzen geküßt hatte.
Ich saß am vereinbarten Ort. Es war der zehnte Juni. Elf Uhr fünfzehn. Eine Lebenszeit, bis sie kommen würde. Ich rauchte eine Zigarette nach der anderen und las die Kronenzeitung, in der es nichts zu lesen gab. Ich hatte mich listigerweise hier einquartiert, im eleganten Hotel Sacher. Wenn sich die Ereignisse so abwickeln sollten,

wie ich es erhoffte, konnten wir den zweiten Teil unseres Stelldicheins in meinem Zimmer fortsetzen. Meine Absichten waren eindeutig. Ich wollte sie haben. Ich wollte sie ihm wegnehmen, jawohl. Demütigen wollte ich ihn, weil er unsere Ideale verraten hatte. Abnabeln mußte ich mich. Mich befreien von diesem Zwillingsbruder, der mir langsam unähnlich wurde. Aber wer konnte voraussagen, was passieren würde? Die Gestirne waren gegen uns. Die Astropsychologie prophezeite, daß es zu scharfen Zwistigkeiten kommen werde zwischen uns. Daß mein Skorpionmädchen stechen, beißen, Gift spritzen würde und ich nur *eine* Haltung einnehmen konnte, wenn ich etwas erreichen wollte. Ich zitiere Doktor Winters Seelenkunde der Tierkreiszeichen: »Eine Haltung, die ungefähr der Furchtlosigkeit des Dompteurs entspricht. Zwar nicht mit dem Stock oder der Peitsche, sondern mit unerschrockenem Blick und einer Mischung aus Geduld und Todesmut.«
In den vierzig Minuten, die noch verblieben, bereitete ich meine Taktik vor und vor allem den Satz, mit dem ich sie überfallen wollte. Ich hatte einen deutlichen Vorsprung, da ich sie kannte. Rakoschi hatte mir alles erzählt, was man über einen Menschen erzählen kann. Ich begehrte sie. Ich war ihr verfallen. Sie steckte in meinen Nervenspitzen und wurde zur Mitte meiner Sehnsucht. Sie hingegen wußte nichts von mir. Nicht einmal, daß ich mit Rakoschi befreundet war – in der Vergangenheit – und jetzt entzweit oder gar verfeindet. Sie mußte annehmen, daß ich ein Impressario sei. Ein hellhöriger Theateragent oder der Intendant einer Provinzbühne. So hielt ich – zumindest für den Anfang – alle Karten in meiner Hand. Das beruhigte mich ein

wenig, obwohl ich mit beinahe krankhafter Unruhe zur Türe schielte und jedesmal aufspringen wollte, wenn jemand eintrat. Gegen Mittag kamen immer mehr Gäste herein. Das Caféhaus füllte sich mit exquisiten Damen und Herren. Die einen unternehmungslustig und charmant. Die anderen griesgrämlich und zugeknöpft. Als es zwölf Uhr schlug, ging die Türe auf und sie war da. Das konnte nur sie sein. Sie blieb stehen, einen Augenblick lang, blickte in die Runde und erkannte mich. Ich hatte beabsichtigt, mich zu erheben, ihr entgegenzueilen und die Hand zu küssen. Die Beine versagten mir. Ich blieb sitzen. Ich wollte sie anlächeln und begrüßen. Statt dessen nahm ich einen Schluck Tee und tat, als hätte ich sie nicht bemerkt. Dabei flackerte sie wie ein Fixstern. Es wurde still im Caféhaus. Alles drehte sich um nach ihr, nach dieser Königin der Nacht, die unverzagt auf mich zuschritt und mich ansprach wie einen alten Bekannten:

– Sie erinnern mich an einen Freund in Budapest.

– Ich weiß. Er heißt Rakoschi.

Das war mir herausgerutscht. Gegen meinen Willen, und sie setzte sich wie vom Blitz gerührt. Die erste Runde hatte ich gewonnen, aber die Knie schlotterten mir. Sie starrte mich an, entgeistert, und sagte dann mit veränderter Stimme:

– Haben Sie Meerschweinchen im Hut oder was?

– Ich trage keine Hüte, Fräulein Kardosch. Sie stehen mir nicht.

– Also kein Zauberer? Was wollen Sie dann von mir?

– Eine Frage möchte ich stellen. Darf ich?

– Eine einzige, bitteschön! Ich kenne Sie zwar nicht,

aber Sie verwirren mich.
Ich verwirrte sie. Auch die zweite Runde war gewonnen, und ich entsann mich des astropsychologischen Ratschlags: unerschrocken wie ein Dompteur! Ich blickte in ihre Augen – sie waren tatsächlich perlblau – und fragte:
– Warum haben Sie Rakoschi in die Wange gebissen? Am Silvesterabend? Um Mitternacht? Im Parlamentsgebäude von Budapest?
Sie erbleichte. Das hatte sie nicht erwartet. Sie stand auf. Bebte am ganzen Leibe. Sie schluckte, zog Luft ein, trat nahe an mich heran, packte mich an der Schulter, riß mich hoch, bereit, einen Tumult zu entfachen. Da wiederholte ich ganz ruhig meine Frage:
– Warum Sie Rakoschi in Fetzen geküßt haben, will ich wissen.
Das war zu viel für die Schneekönigin. Sie ließ mich los und lächelte. Als wollte sie mir verzeihen. Mehr noch. Als gäbe sie sich geschlagen, und sie sagte ganz sanft:
– Weil ich ihn haben will. Darum überfalle ich ihn immer aufs neue. Zum letzten Mal vor einer Woche, und ich werde ihn haben. Darauf können Sie Gift nehmen.
– Aus dem Stachel eines Skorpions? fragte ich hinterhältig.
– Das wissen Sie ebenfalls? erwiderte sie verzweifelt. Was wissen Sie sonst noch?
– Daß ich Lust habe auf dich, du rothaarige Circe.
Den zweiten Teil unseres Stelldicheins verbrachten wir in meinem Hotelzimmer, wie ich es insgeheim geplant hatte. Ich muß gestehen, daß Rakoschi keineswegs

übertrieben hatte. Eine Hexe war sie. Ein wildes Skorpionmädchen. Mit allen Salben geschmiert. Von einer göttlichen Hemmungslosigkeit, die ich nie vergessen werde.
Einige Tage später, zurückgekehrt nach Zürich, ging ich zu meinem Vater und bat ihn, mich zu untersuchen. Er begriff sofort und lächelte:
– Rakoschi läßt grüßen, mein Sohn. Ein kommunistisches Mißgeschick. Ehrlich geteilt zwischen Genossen. Mit ihm hast du geschlafen. Die Melusine war nur die Mittlerin.
– Du irrst dich, Vater. Gegen ihn. Jetzt bin ich befreit. Von ihm und einigen Illusionen.

Poker

Es ärgert mich, wenn Frauen mir sagen, sie seien einmal in mich verliebt gewesen. Zum Beispiel Sonja. Was habe ich davon? Heute, nach dreißig Jahren. Und was hat sie davon? Sie bildet sich ein, man könne zurückdrehen. Lächerlich! Das kommt nicht in Frage. Der Zug ist abgefahren. Er ist schon über alle Berge. Irgendwo auf der Milchstraße saust er durch den Kosmos und kehrt nicht zurück.

Sie hatte die Stimme einer Taube. Sie gurrte, schnurrte, lockte, köderte und schmeichelte. Auch singen konnte sie. Wie eine Amsel. Sehnsuchtsvoll und begehrlich. In lauen Frühlingsnächten schlenderten wir am See entlang. Saßen auf einer Schieferplatte. Blickten in den Mond. Sie summte eine Melodie. Ich spielte auf meiner Geige und improvisierte Fiorituren dazu. In jenen Augenblicken wogten unsere Träume über das Mittelmaß unseres Alltags hinaus. Sie zitterten durch mein Geäst und tropften in mich hinein. Aber das war alles.

Ich sehnte mich nach ihrem Haar. Ich hatte Lust auf ihren weißen Hals. Die funkelnden Augen, die auf- und zupulsten wie Muscheln am Meeresgrund. Unsere Beziehung war rein und edel. Um einen Hauch zu edel, wenn ich heute darüber nachdenke. So selbstlos konnte ich gar nicht sein. Ich war zwanzig. Ein ausgewachsener Kerl mit wachen Trieben und gesunden Reflexen. Ich wollte sie besitzen, nicht als Seerose, nicht als Libelle über dem Teich. Ihre Haut wollte ich. Ihre Brüste und Schenkel. Das war mein innigstes Ziel, obwohl ich das

nicht eingestanden hätte. Ich war so vollgestopft mit Idealen, daß ich nicht zugeben durfte, wonach mich eigentlich dürstete. Zusammendengeln wollte ich sie. Bis sie schreien würde vor Entzücken.
So sah es aus in mir, aber niemand konnte es ahnen. Ich war eine Wildsau. Eine theoretische Wildsau, leider. Darum kam es nicht soweit.
Unsere Geschichte gedieh bis zur Halbzeit. Dann wurde das Spiel abgebrochen. Weil ich mein eigener Gefangener war. Gefangen durch mein vornehmes Gehabe. Ich sprach mit ihr über das Morgenrot. Über den Tau auf den Blumen. Über die neue Welt, die wir erbauen wollten. Das war zauberhaft. Ich erschauerte bei meinen eigenen Worten. Ich fand mich unvergleichlich und verpaßte das Flugzeug. Der Paradiesvogel flog mir davon.
Ich war von jetzt an das fünfte Rad an ihrem Wagen. Sie wurde die Geliebte eines Flegels, eines rüpelhaften Grobians, dessen Namen ich lieber verschweigen will, denn es gibt ihn noch. Ich nenne ihn Wetzel, Kurt Wetzel, Schleifer bei Escher-Wyss. Er sah aus wie ein Kanonenputzer. Wenn er redete, dann bestenfalls über Speck und Käse. Er war ein Mann der Tat, wie er sagte. Das machte ihr Eindruck. Mehr als das. Sie gab sich ihm hin. Freiwillig und mit selbstquälerischer Wollust, nehme ich an. Das erbitterte mich über alle Maßen. Zwar konnte ich ihr nichts vorwerfen. Nichts war geschehen zwischen uns; ich meine nichts Konkretes. Nichts Materielles, das sie verpflichtet hätte, mir Treue zu halten. Wobei in Wirklichkeit sehr viel geschehen war. Meiner Ansicht nach. Aber meine Ansicht tut nichts zur Sache. Für mich ist ein Spaziergang am Wasser wichtiger als

ein kurzes Zucken in den Lenden und was noch damit zusammenhängt. Es gibt zwar gewisse Konventionen, sogenannte Pflichten. Wer ihnen nicht nachkommt, heißt es, sei kein richtiger Mann. Ich erfülle diese Pflichten ohne jede Schwierigkeit. Ich habe sie tausendmal erfüllt und bin nicht einmal stolz darauf. Jeder Hund kann das. Jedes Kaninchen. Aber unter einem Haselstrauch sitzen und Geige spielen, das kann nicht jeder. Wir hatten miteinander die Schwerelosigkeit erprobt. Über den Wolken waren wir gekreist, wie zwei Silberreiher. Fäden hatten wir gesponnen. Unsichtbares Garn zwischen meiner Seele und der ihren. Aber das schien sie nicht zu schätzen. Dazu war sie zu diesseitig. Wie eben die Frauen sind. Oder zu ehrlich. Ehrlich bis zur Grausamkeit, und mein Gesäusel über die Symmetrie, über die verblüffende Ordnung der Materie, über die Vernunft des Universums hat sie gelangweilt. Manchmal ertappte ich sie, wie sie die Hand vor den Mund hielt und gähnte. Perlen hatte ich vor die Säue geworfen, obgleich ich zugeben muß, daß sie nicht blöder war als ich. Nur gegenständlicher. Vielleicht auch eine Spur menschlicher. Sie wollte, was auch ich wollte. Aber ich spielte den Apollo. Den Mann aus Marmor. Zu fein um hinzugehn, ihr die Kleider vom Leib zu reißen und zu zeigen, wo Gott hockt. Aber mir war das zu primitiv. Das war unvereinbar mit meiner Weltanschauung. So ein Wetzel konnte das oder Marquese, der außer seinem exotischen Namen nichts anzubieten hatte. Nichts Auserlesenes, will ich sagen. Seine Statur war untersetzt und prall. Der ganze Körper irgendwie verquer. Ein schiefwinkliges Dreieck. Mit Froschaugen und kahlgeschorenem Schädel. Knorrig und borstig, daß er schon fast wieder interessant schien. Er war unerhört. Schämte sich nicht mal seiner Mißförmigkeit. Im Gegenteil. Er unterstrich sie und kokettierte damit. Er hatte sich selbst den Spitznamen gegeben: Quasimodo. Er spielte das Hinkebein, mit hochgezogener Schulter und buckligem Rücken. Trotzdem und möglicherweise deswegen hatte er Erfolg. Die Mädchen waren verrückt nach ihm, denn ein unheimlicher Nimbus umwehte ihn. Er hatte etwas, das niemand hatte außer ihm: er war im Knast gewesen. Subversive Tätigkeit. Kommunistische Propaganda, wie er behauptete. In Wirklichkeit hatte er wegen Urkundenfälschung und Verführung von Minderjährigen gesessen. Es schmerzt mich, darüber zu reden, aber sie trieb es mit beiden. Mit Wetzel, dem Schleifer, und Marquese, dem Zuchthäusler. Sie sorgte sogar dafür, daß ich davon hörte. Mit peinlichen Einzelheiten. Zur Strafe, sozusagen, für meine philosophischen Exkurse und meine Enthaltsamkeit. Jetzt, mit dreißigjähriger Verspätung, ruft sie mich an, schreibt mir Briefe und will mich besuchen. Sie möchte wieder anbändeln, aber das Band ist zerrissen. Daraus wird nichts, auch wenn sie behauptet, ihr Leben lang nur mich geliebt zu haben. Sie habe gewartet, versichert sie, und gehofft, doch ohne Erfolg. Nicht beachtet hätte ich sie, nur geredet, dem entscheidenden Akt aber sei ich ausgewichen. Mag sein, daß sie recht hat. Es ist schon lange her, aber warum hat sie nie etwas gesagt? Ein Wort hätte genügt. Eine Geste, und mein Leben wäre anders verlaufen. Ihres ebenfalls. Wenigstens eine Zeitlang. Sicher nicht ewig, denn sie frißt zuviel. Nudeln und Kartoffeln. Sie ist längst nicht mehr der Engel, der sie einmal war. Aus Gram, möglicherweise, weil es nicht geklappt hat. Mit mir hätte sie

anders gelebt. Ihr Leben wäre ein Traum geworden, ein Gestirn über dem Wasser, aber sie wollte es nicht so. Ein Wetzel war ihr gut genug. Sogar dieser Marquese. Ach, reden wir nicht davon!
Sie hat erfahren, daß ich wieder im Land bin. Zurückgekehrt von einer zwanzigjährigen Irrfahrt. Zweimal verheiratet, zweimal geschieden. Ergraut und geläutert. Das hat gezündet. Falsche Hoffnungen erweckt. Das ist ihr Problem und nicht meines. Ich trinke keinen kalten Kaffee. Ich trage nicht zweimal dasselbe Hemd. Sonja interessiert mich nicht mehr. Dann schon eher Wetzel. Wetzel fasziniert mich.
Ich traf ihn mitten in Zürich. Auf der Bahnhofstraße. In einem exquisiten Geschäft, wo ich eine Krawatte kaufen wollte. Nicht ich habe ihn erkannt, sondern er mich. Er näherte sich von hinten, haute mir seine Pranke auf die Schulter, daß ich fast in die Knie sackte, und brüllte meinen Namen so laut, als seien wir Busenfreunde seit frühester Kindheit. Daß ich nicht lache! Rivalen sind wir gewesen. Ungleiche Gegenspieler, und alle Chancen standen auf seiner Seite, denn er hatte einen Stammbaum wie keiner von uns. Er war ein rassereiner Proletarier. Ein Abkömmling von Leibeigenen und Sklaven. Ein Unterhund seit hundert Generationen, dem nun endlich die Stunde geschlagen hatte; als die Geschütze der »Aurora« durch die Nacht böllerten, als verlauste Bauern den Winterpalast stürmten und Lenin verkündete, der Tag der Vergeltung sei angebrochen. An jenem Novembertag dämmerte der Morgen für alle Wetzels des Erdkreises.
Er war der einzige Arbeiter in der Arbeiterjugend. Unser Alibi. Wir hegten und pflegten ihn. Er lebte bei uns wie

die Made im Speck. Wir zitierten jeden Bockmist, den er von sich gab. Er war der Inbegriff der anonymen Masse, die wir vergötterten und in ihm verkörpert wähnten. Die Mädchen bekamen Gänsehaut, wenn sie ihn erblickten. Sonja, das entzückendste Mädchen weit und breit, legte sich auf den Rücken und ließ sich schleifen von diesem Schleifer. Es blieb mir nur ein Trost. Auch ihm setzte sie Hörner auf. Mit dem Knastbruder und Kinderverführer namens Marquese. Der war noch lümmeliger, noch flegelhafter als Wetzel, obschon er gescheiter war. Bedeutend gescheiter, aber sein Stammbaum war zwielichtig. Vom Standpunkt des Marxismus-Leninismus aus war er weder Fisch noch Fleisch. Halb Bauernknecht, halb Landstreicher. Ein Lumpenprolet, und mit ihm hat sie geschlafen. Das verschaffte mir Schmerz und Schadenfreude. Schmerz, weil sie mich verschmähte. Schadenfreude, weil Wetzel ebenfalls drankam. Aber verstehen werde ich das nie. Es wird mir übel, wenn ich nur daran denke.
Ich sagte schon: Wetzel faszinierte mich. Was war wohl geworden aus ihm? Hat er dazugelernt? Ist er klüger geworden? Und was wurde aus dem Tag der Vergeltung? Die Macht hat er nicht ergriffen, gottseidank. Noch nicht. Die Schleifer sind Schleifer geblieben. Die Kinderverführer wandern in den Knast. Es ist noch alles beim alten. Aber nicht davon soll die Rede sein. Ich will von jenem Abend berichten, als Wetzel mich in seinem Hause empfing. Am Bergweg 87 in Schlieren. Wie das schon tönt: Schlieren. Wie das Aufkreischen einer Zugbremse. Wie die Sirene einer Fabrik. Ich kenne diesen Ort nur vom Vorbeifahren. Von den schwarzen Gaskesseln. Von den riesigen Kohlenhalden. Von häßlichen

Wohnsiedlungen und verrußten Schloten. Er lebte also in Schlieren. Ich war gespannt. Ich platzte schier vor Neugierde. Wie mochte er wohnen? Was für Bücher las er? Hatte er Geschmack bei der Auswahl der Möbel, der Bilder, der Teppiche? Und außerdem: War er verheiratet? Wenn ja, mit was für einer Frau?
Zwanzig Jahre war ich im Ausland. Die Revolution ist ausgeblieben. Trotzdem hat sich hier etwas verändert. Viel sogar. Die Hochkonjunktur hat uns heimgesucht. Wie ein Sturmwind. Wie ein Erdbeben. Kein Stein blieb auf dem anderen. Sogar ein paar Proleten wurden in den Strudel gerissen. Vielleicht auch Wetzel, dachte ich. Mag sein, daß er jetzt oben sitzt. Alles war möglich. Schließlich trafen wir uns in einem Krawattengeschäft. An der Bahnhofstraße in Zürich. Wollte er wirklich eine Krawatte kaufen? Das tönt wie ein Witz: der Schaufensterproletarier, unser Aushängeschild, das Prunkstück der kommunistischen Jugendbewegung kauft eine Krawatte. Wir hatten doch Baskenmützen getragen. Rote Halstücher und Bastsandalen. Und der geht hin, um das Prestigesymbol des Klassenfeinds zu kaufen, die Eintrittskarte zur besseren Gesellschaft. Ich mußte mich getäuscht haben. Er sah ganz gewöhnlich aus, als wir uns begegneten. Unauffällig wie ein Privatdetektiv. Weder besonders raffiniert noch ärmlich. Dicker war er als damals. Seine Haut käsig. Einen Regenmantel hatte er an. Einen Filzhut. Sonst fiel mir nichts auf, aber das will hierzulande nichts bedeuten. Man strebt nach Mittelmaß. Der Schweizer ist schlau. Will nicht zeigen, was er hat. Oder nicht hat. Und Wetzel ist ein Schweizer wie alle anderen.
Ich nahm die Einladung an. Aus reiner Bosheit. Um zu

erfahren, was aus meinem Gegenspieler geworden ist; aus diesem Niemand, der meinen Jugendtraum zerstört hat. Ich setzte mich in meinen Volkswagen und fuhr nach Schlieren. Zum ersten Mal in meinem Leben. Schlieren. Industrievorstadt von Zürich. Eiserne Lunge des Limmattals. Die Häuser frappieren durch öde Phantasielosigkeit. Riechen nach Bodenwachs und fadem Sauerkraut. An allen Fenstern Geranien. Hinter den Geranien verblichene Tüllvorhänge. Hinter den Tüllvorhängen Langeweile. Du mein lieber Gott! Hier leben die Proletarier unserer Zeit. Als sie jung waren, träumten sie von einer gerechten Welt. Jetzt träumen sie nicht mehr. Das Fernsehen träumt für sie.
Ich fand den Bergweg ohne fremde Hilfe. Ich rollte die Serpentinen hoch, bis es nicht mehr weiter ging. Bis ein Haus die Straße versperrte und der Bergweg zu Ende war. Das war kein Haus, was ich da erblickte. Es war eine Marmorpagode im bengalischen Baustil. Mit einem türkischen Minarett und maurischen Spitzbögen. Da wohnte ein schizophrener Maharadscha. Vielleicht ein amerikanischer Millionär. Ich besah mir die Eingangspforte. Ich war überzeugt, am falschen Ort zu sein oder an der falschen Nummer. Aber nein! Das war der Bergweg 87. Diese Nummer hatte er mir angegeben, und da prangte eine Goldtafel mit verschnörkelter Schrift: KURT WETZEL, UNTERNEHMER.
Dreißig Jahre sind verflossen. Aus dem Kurt Wetzel, Proletarier, ist ein Kurt Wetzel, Unternehmer, geworden. Und da sagt man, es gebe keine Wunder. Wie hatte er das fertiggebracht? Ich gebe zu, daß man Karriere machen kann, daß man aufsteigt und zu Geld kommt. Aber die Farbe wechseln, zum ehemaligen Feind über-

laufen und dann noch ein Namensschild bestellen, auf dem schamlos mitgeteilt wird, daß der Inhaber dieses Hauses fahnenflüchtig, meineidig und treulos ist. Das übersteigt mein Verständnis. Die Leute wissen doch, wo er herkommt. Daß er bei den Kommunisten war, gegen die Kapitalisten krakeelt und blutrünstig die rote Fahne geschwungen hat. Daß man ihn hochspielte – in seinen Kreisen natürlich –, weil er ein Vollblutproletarier war. Und jetzt ... Kurt Wetzel Unternehmer.
Ich drückte auf die Klingel. Mein Herz klopfte. Die Pforte ging von selbst auf. Unter dem Torbogen erschien ein schwarzer Diener in goldgelber Uniform. Goldgelb. Das wollte etwas bedeuten. Er begrüßte mich mit militärischen Ehren. Stramm hob er zwei Finger zur Schläfe und ratterte: »You are welcome, Sir, in the house of Mr. Wetzel. The boss is waiting for you in the stable. Will you hand me your coat, please!«
Ich verbarg nur mühsam meine Verblüffung. Wortlos überreichte ich ihm den Mantel und folgte ihm in den »Stall«, wie er das nannte. Das war kein Stall, sondern ein Spiegelsaal von Versailles. Es roch auch nicht nach Pferden, sondern nach Maschinenöl und Benzin. Das war der blitzblankste Stall, den ich je gesehen hatte, und darin funkelten sechs Hengste der edelsten Herkunft: ein Rolls-Royce, ein Cadillac-Fleetwood, ein Bentley, ein Jaguar 268 PS, ein Mercedes 500 und ein Citroën DS 19. Der Herr des Hauses lag unter einem Wagen – im blauen Overall, selbstverständlich – und bastelte mit einem Schraubenzieher am Kardangelenk herum. Er hatte alles in Szene gesetzt und vorausberechnet, wie überwältigt ich sein würde. Langsam kroch er hervor, wischte die Hände an einem Tüchlein ab und sagte ganz

selbstverständlich:
– Das hättest du wohl nicht gedacht, hä?
– Es blockiert mir die Luftröhre, gab ich zurück und putzte den Dunst von meiner Hornbrille.
– Daß ein gewöhnlicher Schleifer seinen Bentley repariert, gell?
– Und die fünf anderen, wem gehören die?
– Alles mein Eigentum, jawoll. Von der Pike auf. Mit diesen zehn Fingern.
Klug war er nicht, aber gerissen. Das war seine Selbstverteidigung, das Plädoyer eines Überläufers. Er gab mir eine Sondervorstellung mit erkennbarer Absicht. Wenn ich heute oben stehe und nicht unten – gab er zu verstehen –, verdanke ich es meinen Händen. Weder Krämpfe habe ich gerissen noch krumme Kniffe. Ehrliche Arbeit habe ich geleistet. Kopf ist gut, aber Hände sind besser. Verstehst du jetzt, warum ich die Sonja hatte und du nicht? Weil die Weiber wissen, worauf es ankommt. Die wollen weder Pfaffen noch Weltverbesserer, sondern Männer mit scharfem Knüppel und harten Murmeln.
Das sagte er nicht wörtlich, sondern deutete es an. Er ließ es durchschimmern. Weniger mit Worten als durch das Programm des Abends, das er listig zusammengestellt hatte. Es war ein Wechselbad. Er stürzte mich von einer Überraschung in die andere, doch ich wurde den Verdacht nicht los, daß etwas nicht stimmte, aber was? Nagte der Pleitegeier an seinem Erfolg? Hatte er Angst vor jemandem? War er unglücklich, fehlte ihm etwas? Das mußte ich herausfinden, und ich beschloß, ihn zum Reden zu bringen. Er war wie alle Senkrechtstarter. Unsicher. Er ertrug die Stille nicht. Hatte ein krankhaftes

Bedürfnis, alle Pausen zu stopfen. Um nicht allein zu bleiben mit sich selbst. Er mußte etwas tun. Oder etwas reden. An jenem Abend redete er. Ich hörte zu. Nur hin und wieder warf ich ein paar Worte dazwischen. Als wir zum Speisesaal hinaufstiegen, sagte ich ganz beiläufig:

– Du bist also Unternehmer. Was unternimmst du?

– Ich kaufe, wenn's billig ist, und warte.

– Das ist alles?

– Geduld muß man haben und den längeren Schnauf. Ich kaufe Regenschirme, wenn die Sonne scheint. Dann sind sie billig. Oder Kanonen im Zuge der Abrüstung.

– Und was tust du, wenn nichts los ist?

– Das gibt es nicht, Genosse. Die Welt ist groß, und irgendwo brennt es immer. Afrika, Naher Osten, Mittelamerika.

– Siehst du, sagte ich vieldeutig, das hätte ich nie fertiggebracht.

– Weil du noch an die Zehn Gebote glaubst, wie vor dreißig Jahren. Ich pfeife darauf. Du träumst von Gleichheit, Brüderlichkeit, Menschenwürde. Ich stehe mit den Füßen auf der Erde. Du kriegst den Ausschlag, wenn du einen übers Ohr haust. Mir macht es Spaß. Ich weiß, daß ich meine Gegner auffressen muß, sonst fressen sie mich auf. Wenn ich keine Waffen schiebe, schiebt sie ein anderer. Man jagt oder wird gejagt. Ich bin ein Jäger.

– Du hast einmal anders geredet, sagte ich mit einem hilflosen Lächeln.

– Ich bin ein Mann geworden. Wie du auch. Auch du hast Wasser in den Wein geschüttet, gell? Sonst wärst

du nicht hergekommen, heute abend.
Als er das sagte, erreichten wir den Eßsaal. Über uns strahlten Kristalleuchter, Gobelins prangten an der Wand. Perserteppiche auf marmornen Fußböden. Der Tisch, drei Meter lang, war gedeckt und brach fast zusammen unter den Köstlichkeiten. Als wir uns setzten, traten zwei Kellner ein – Smoking, blütenweiße Hemden, seidene Halsbinden – und trugen teure Weine auf. Wetzel kicherte:
– Jeder wird einmal erwachsen. Bediene dich. Jeder desertiert früher oder später aus seinen Kinderschuhen. Rehpastete, Gänseleber, nimm, was du willst. Wer nicht rechtzeitig überläuft, wird zermalmt. Krevetten, Langusten, Hummer oder – er grinste mich ruppig an – willst du einen Fleischkäs wie dazumal?
– Ich frage mich, wie du das fertigbringst. Ich meine, mit dem Gewissen?
– Guten Appetit, Genosse.
– Ich bin kein Genosse. Schon lang nicht mehr, und der Appetit vergeht mir an deinem Tisch.
– Du findest mich unmoralisch, gell? Richtig. Ich bin unmoralisch, und es lohnt sich. Dafür bist du rein geblieben. Wie das Taufbecken in der Dorfkirche. Du rettest, was zu retten bleibt von deinen Illusionen. Altmodisch bist du, Kamerad, und dazu noch eifersüchtig. Du warst immer eifersüchtig auf mich, denn ich hatte Erfolg und du nicht. Übrigens, warum bist du kein Genosse mehr?
– Aus anderen Gründen als du, jedenfalls.
– Kann ich mir vorstellen, grinste er.
– Weil ich drüben war. Zwanzig Jahre lang. Mir genügt es.

– Ich mußte nicht hinfahren, um es zu wissen.
– Ich bin ausgetreten, aber nicht übergelaufen; ein kleiner Unterschied.
– Du sitzt bei mir und trinkst meinen Wein.
– Der Durst ist mir vergangen.
– Essen willst du auch nicht?
– Nein.
– Bitteschön. Wir können darauf zurückkommen. Inzwischen zeig ich dir mein Haus.
Zuerst führte er mich in den Rittersaal voll alter Rüstungen, Waffen und Schilder. An den Mauern hing eine Ahnengalerie, die Familie Wetzel vergangener Jahrhunderte. Ein Adalbert Wetzel, Schultheiß von Wattwil. Ein Huldreich Wetzel, Wundarzt in Nesslau. Ein Siegfried Wetzel, Pfarrer von Lichtensteig, und so weiter. Ich fragte, ob die Bilder echt seien, worauf er antwortete:
– Ich habe sie malen lassen. Von einem rumänischen Porträtfälscher, aber das kümmert keinen. Wer hindert mich daran, eine ganze Sippschaft aus dem Boden zu stampfen? Nur Geld muß man haben, und ich habe Geld. Zehntausend hab ich hingestrichen für einen Stammbaum. Dreißigtausend pro Gemälde, fünfzehn Stück insgesamt. Das Ganze kostet eine halbe Million. Das ist ein Vermögen, und niemand merkt, daß alles nur Knorz ist.
– Ein Kunsthistoriker würde es merken, stelle ich mir vor. Brüschweiler zum Beispiel.
– Der schon, aber er kommt nicht in mein Haus. Bei mir verkehren Geschäftsleute, Großaktionäre und einige Kindsköpfe wie du, aber die zählen nicht. Wer zu mir kommt, sieht keinen Unterschied zwischen Risotto

und Rossini. Meine Gäste sind unbelastet. Die wollen nur feststellen, daß ich aus gutem Haus bin. Vertrauens- und kreditwürdig.
Wir wanderten weiter. Über eine Tropfsteinbrücke zum Südflügel der Pagode, der von dichtem Efeu umrankt war, und betraten den »Afrikasalon«. Der war noch monströser als der Rittersaal. Da standen hundertvierundvierzig Götzenbilder in Menschengröße. Die einen aus Holz, die anderen aus Elfenbein. Zwölf mal zwölf in Reih und Glied, mit Glasaugen und goldenen Fingernägeln, aus den verschiedensten Winkeln des schwarzen Kontinents. Zuvorderst die Riesen aus dem Lande der Massai. Dann die Bambara, fast zwei Meter hoch. Es folgten die langgliedrigen Malinké, die mittelgroßen Bantu, die untersetzten Zulus und zuhinterst die Pygmäen aus dem tropischen Regenwald. Das alles wäre einmalig gewesen und merkwürdig, wenn Wetzel nicht seinen Verirrungen freien Lauf gelassen hätte. Der Wahnsinn gipfelte darin, daß er die afrikanischen Götter mit helvetischen Requisiten verzierte. Den Massai hängte er Kuhglocken um den Hals. Ans Gesäß der Bambara schnallte er Melkstühle. Die Malinké bekamen je eine Schweizerfahne, die Zulus ein Alphorn und jeder Zwerg eine Sennenkappe auf den Kopf. Ich wollte wissen, was das denn für einen Sinn habe, und er antwortete:
– Es kostet Geld. Das imponiert meinen Geschäftspartnern.
– Und dir gefällt es?
– Überhaupt nicht, entgegnete er. Das ist Schnickschnack für Hinterwäldler. Die meinen, ich sei in Afrika gewesen, als Diamantensucher, Großwildjäger oder

sonst was Gefährliches. Sie rechnen sich aus, ich sei ein Fetzen. Ein Schlitzohr, das man besser nicht auf den Rücken legt. Das nützt bei großen Transaktionen.

– Einverstanden, aber die Kuhglocken sind ein Schwachsinn.

– Vielleicht, aber sie sind gemütlich. Im Gegensatz zu den Götzenbildern. Sie wecken Wohlwollen, und das kann ich brauchen. Es geht um Millionen.

– Wozu eigentlich? Du hast doch Millionen.

– Genau. Siebzehn Millionen seit letztem Montag.

– Ich begreife das nicht. Warum legst du dich nicht hin und ruhst endlich aus?

– Das könnte ihm so passen.

– Wem?

– Ihm. Dem Sauhund. Du weißt schon, wen ich im Sinn habe. Aber reden wir nicht von ihm! Der Teufel holt ihn auch ohne mein Zutun. Die Zähne werden ihm ausfallen vor Neid.

– Was für ein Sauhund, fragte ich und spürte, daß ich ihm auf den Fuß getreten war.

– Wir reden nicht von ihm, hab ich gesagt. Komm, ich zeig dir den Swimming-pool. Wirst was erleben.

Das sagte er mit knurriger Stimme und gab zu verstehen, daß er nicht gewillt sei, über jene Unperson zu konversieren. Er führte mich zum Schwimmbecken, und ich muß zugeben, daß es ein Erlebnis war. Der eigentliche Höhepunkt des Abends. Fünfundzwanzig Meter lang und zehn Meter breit. Es glitzerte wie eine Kristallgrotte. Ich konnte mir nicht erklären, was da so funkelte, doch er lüftete das Geheimnis:

– Edelsteine, Genosse. Zweihundertfünfzig Edelsteine. Eingemauert in die Betonplatten. Granat und Türkis.

Saphir und Lapislazuli. Achat, Smaragd und ein Dutzend Diamanten von der Größe einer Haselnuß. Da bleibt dir die Spucke weg, gell?
Er hielt eine Schaltscheibe in der Hand, mit der er die Beleuchtung steuern konnte. Er drückte auf einen Knopf. Fichtengrünes Licht durchschimmerte den Swimming-pool. Ein zweiter Knopf, und das Wasser wurde himbeerrot. Dann zitronengelb und zuletzt tintenblau wie ein sommerlicher Nachthimmel. Jetzt drückte Wetzel den letzten Knopf. Eine Türe ging auf. Ein nacktes Mädchen erschien und hüpfte aufs Sprungbrett hinaus. Ihre Haut war wie goldener Samt. Ihr Körper schlank. Ihre Rundungen von seltener Vollkommenheit. Sie warf mir einen Blick zu, schnellte in die Luft, schlug einen Salto und sprang kopfüber in die Fluten. Es war ein Thaigirl, eine Lotosblume in Menschengestalt. Nach ein paar Zügen stieg sie aus dem Wasser. Sie schüttelte sich die Tropfen vom Leib und glättete das Haar mit den Händen. Dann kam sie auf mich zu, wie eine Seejungfer aus dem Teich. Sie blickte mir in die Augen, ergriff meine Hand und küßte mir die Fingerspitzen. Ich wollte etwas sagen, doch schon tänzelte sie davon. Weg war sie, und ich fragte meinen Gastgeber, ob das seine Frau sei.
– Ich besitze ein Vermögen, Mensch. Ich kann jede Frau haben, die mir gefällt.
– Jede?
– Die einen kosten mehr. Die anderen weniger.
Ich starrte in die Ferne, über die Straße hinweg, in einen Park mit Zypressen und Pinien. Eine mediterrane Vegetation am Ortsende von Schlieren. Ich stutzte. Inmitten eines Feuerwerks von seltenen Blumen und saftigen

Pflanzen stand ein Ei. Ein ovales Gebäude von etwa 12 Metern Höhe. Es stand auf der Spitze, ruhte auf einer Achse und schien sich zu drehen.
– Was ist das für ein Ei, fragte ich verwundert.
– Wirst lachen. Ein Haus. Aus Panzerplastik, angeblich.
– Und wer wohnt darin?
– Er.
– Der Sauhund, willst du sagen?
– Er oder ich. Für beide ist kein Platz in diesem Land. Einer von uns muß verschwinden!
– Bist wieder bei deinem Lieblingsthema, höhnte ich hinterlistig, denn ich wollte mehr erfahren über den Gegenspieler. Ich begann zu ahnen, von wem da die Rede war. Plötzlich sagte er heiser:
– Wir hassen uns von allem Anfang an. Wegen einer Frau. Die Frau ist gegangen. Der Haß bleibt.
Die Katze war aus dem Sack. Jetzt hatte ich keine Zweifel mehr:
– Er hat sie dir weggeschnappt, ja?
– Ich werde ihn zerschmettern.
– Was ist das, Panzerplastik?
– Eine seiner Erfindungen. Ein Bluff wie er selbst. Das werde ich beweisen.
– Es scheint, daß er dir vor der Sonne steht.
– Er spielt Poker mit mir. Seit Jahrzehnten.
– Und wer gewinnt?
– Das ist es ja, was mich so verbittert. Keiner. Er treibt den Einsatz in die Höhe. Immer noch höher, und ich muß nachdoppeln. Zuerst wohnten wir in Zürich. Jeder für sich, doch eines Tages übersiedelte er nach Schlieren und baute sein Krokodilsei. Da drüben. Aus Panzerpla-

stik. Unzerstörbar, wie er herumprotzt. Ich mußte mitspielen und kam auch nach Schlieren. Was sollte ich tun? Ich holte einen Architekten aus Kalifornien und gab ihm den Auftrag, höher zu setzen. Er baute meinen Palast. Aus Beton, Marmor und Edelsteinen. Ganze Heerscharen pilgerten herauf, um ihn zu bestaunen. Jetzt war ich oben, doch das wollte er nicht zugeben. Er ging und ließ ein Kabel spannen bis hinunter in die Talsohle. Eine Drahtseilbahn hat er gebaut, und nun kommt und geht er in der eigenen Privatgondel. Ich stand unter Zugzwang und kaufte meine Limousinen, die sechs teuersten Automarken der Welt, aber er gab sich nicht geschlagen. Er ließ eine Piste anlegen, zwanzig Schritt von seinem Ei entfernt. Eines schönen Sonntags landete er im eigenen Hubschrauber und wußte, daß ich Galle schwitzte. Ich habe ihn trotzdem übertrumpft, jawohl. Ich flog nach Pakistan und erstand dort das Pferd aller Pferde, den weißen Sahib des Aga Khan. Den edelsten Hengst unserer Zeit, und jetzt reite ich – hörst du –, ich reite jeden Tag zur Arbeit. Hoch zu Roß, an seinem Haus vorbei. Er hingegen lauert hinter dem Vorhang, dieser Zuchthäusler, beobachtet mich und beißt sich die Fingernägel. Nichts wird ihm einfallen. Höher kann man nicht setzen. Er hat ausgepokert.
– Bist du sicher?
– Todsicher.
– Und wenn er sich Sonja schnappt?
Das hätte ich nicht sagen dürfen. Es schlug ein wie der Blitz. An alles hatte er gedacht, aber diese Idee war ihm nicht gekommen. Das war seine Achillesferse. Er wurde bleich und wandte sich ab. Siebzehn Millionen, zusammengeschrumpft zu einem elenden Häuflein. Was

konnte er tun, um dem andern zuvorzukommen? Um das Schreckliche zu verhindern? Nur eines, das war klar. Er mußte sie einfangen, bevor der Rivale seine Netze auswarf. So schnell wie möglich. Sofort! Er schwieg. Er kochte innerlich und kam dann auf mich zu:

– Brauchst du zehntausend Franken?

– Was willst du von mir, du alter Gauner?

– Eine Kleinigkeit. Nur anrufen mußt du und fragen, ob sie herkommt. Zum Nachtessen. Noch heute abend.

– Warum ich?

– Weil sie dir nachläuft.

– Woher weißt du das?

– Ich lasse mich informieren. Also. Bist du einverstanden?

Das war das beste Geschäft, das mir je in die Quere gekommen war. Er blätterte zehn Tausender auf den Tisch, und ich – ein Hornochs alter Schule – warf sie ihm an den Kopf, mit der Bemerkung, daß ich nicht käuflich sei. Dann ging ich zum Telephon und wählte die Nummer. Es klingelte zwölfmal. Zuletzt meldete sich eine Italienerin und sagte in gebrochenem Deutsch, die Signora sei nicht zu Hause und erst morgen wieder erreichbar. Als ich fragte, wo sie denn sei, erwiderte sie unwillig:

– In Schlieren. Villa Marquese . . .

Wetzel hatte mitgehört. Von einem anderen Anschluß. Er stand da wie vom Schlag gerührt. Schwer schnaufend riß er an einer Glocke, und herein trat Abdulaj, der schwarze Diener in der goldgelben Uniform. Er hob die zwei Finger zur Schläfe und ratterte:

– What can I do for you, boss?
Wetzel rang nach Luft und antwortete auf deutsch:
– Den Karabiner, schnell!
Was weiter geschah, ist banal, aber folgerichtig. Mein Gastgeber eröffnete das Feuer auf das Riesenei seines Gegenspielers. Er beschoß die feindliche Festung, knallte wahllos in die Kunststoffhülle der Villa Marquese, doch die Kugeln prallten ab. Das Hirngespinst des Knastbruders widerstand dem Überfall. Eine viertel Stunde später heulten Polizeisirenen den Bergweg herauf. Noch einige Minuten, und Wetzel wurde abgeführt. In Handschellen wie ein gewöhnlicher Ganove. Die Pokerpartie war ausgespielt. Wetzel hatte verloren. Das heißt aber nicht, daß Marquese der Gewinner war. Der Gewinner war ich, so sonderbar das auch scheinen mag. Es geht um eine Frau, jawohl, aber nicht um Sonja. Sonja hat mich enttäuscht. Sie sank unter ihr Niveau, in die Arme dieses Plastikmillionärs, dieses Urkundenfälschers und Kinderverführers. Nur weil er ihr imponierte mit seiner Drahtseilbahn und dem lächerlichen Hubschrauber vor dem Haus. Ich bestreite ja nicht, daß sie mein Traumbild gewesen ist. Vor dreißig Jahren. Aber heute? Nein! Eine Spielkarte im Poker von zwei Emporkömmlingen. Sonja kommt nicht mehr in Frage. Dafür aber ihre Tochter, von der ich gar nicht wußte, daß es sie gibt. Ihr Name ist Dahlia. Sie sieht aus, wie sie heißt. Wie eine Scheherezade aus Tausendundeiner Nacht. Sie hat mich verzaubert. Auf den ersten Blick. Aufgesucht hat sie mich. Zwei Tage nach der Schießerei am Bergweg. Sie kam in meine Wohnung, ohne sich anzumelden, und teilte mir mit, daß ihre Mutter im Spital liege. Auf der Intensivstation. Mit einem Herzinfarkt als

Folge eines Schocks, wie die Ärzte erklärten. Ob ich bereit sei, ins Krankenhaus zu kommen. Auf einen Sprung nur. Sie habe ausdrücklich nach mir verlangt.

Ob ich bereit sei? Merkwürdige Frage. Ich war zu allem bereit, was dieses Mädchen vorschlagen würde. Ich fragte einzig, ob sie auch wisse, wer ich sei. Da blinzelte sie mich an und sagte lächelnd:

– Ich weiß alles über Sie. Sie sind der Mann, der die Gelegenheiten verfiedelt. Der Seifenblasenphilosoph, der immer zu spät kommt, der alle Züge verpaßt, der viel redet und nichts unternimmt, wenn es darauf ankommt. Meine Mutter sagt, Sie seien – verzeihen Sie den Ausdruck – eine theoretische Wildsau.

– Was meinen Sie, Dahlia, ist das ein Schimpfwort?

– Für mich nicht, im Gegenteil.

Was dachte sie wohl, als sie sagte »im Gegenteil«? Das konnte alles bedeuten. Vielleicht sogar, daß ich ihr gefiel. Jedenfalls war ich entschlossen, diesmal die Gelegenheit zu nutzen. Als Sühne für die Treulosigkeit ihrer Mutter. Für die zerstörten Träume meiner Jugend.

Herzflattern

Wankelmut, das ist der richtige Ausdruck. Mein Mut wankelte. Bis zum letzten Augenblick. Hin und her. Zwischen Begeisterung und Verzagtheit. Auswandern ins Paradies. Oder dableiben. Im sumpfigen Diesseits, das wahrhaftig nicht vollkommen war, aber es hatte seine Vorteile.

Mein Vater drängte, ich müsse hinfahren. Oder nein. Er sagte hinterlistig, ich solle dableiben. Er war nämlich ein Demagog und predigte stets das Gegenteil, um einem den Kopf zu verdrehen. Das war seine bevorzugte Unart, seine Gehirnwäsche, mit der er fast immer zum Ziel gelangte: »Hier bist du zur Welt gekommen. Hier sollst du verknöchern, Fett ansetzen, Kinder zeugen und das Zeitliche segnen. Das ist der Lauf der Dinge, oder nicht?«

Ich wußte, was er anstrebte. Ein Kolumbus sollte ich werden. Den Anker lichten. Den Seeweg nach Indien suchen. Die Neue Welt, von der man nicht wußte, wie neu sie eigentlich war. Und ob es sie überhaupt gab. Er wünschte mich zu den Antipoden, denn er kalkulierte – mit seiner privaten Wahrscheinlichkeitsrechnung –, dort drüben herrsche die Perfektion, und zwar aus dem einfachen Grund, weil diesseits des großen Meridians alles so ungereimt war. Ich spielte die Rolle eines Versuchskaninchens, eines Spähtrupps. Er schickte mich als Kundschafter ins Minenfeld der proletarischen Revolution und erwartete von mir die Bestätigung seiner lebenslangen Illusionen. Dabei war er schlau, wie ein

Versicherungsagent, der nie so unvorsichtig ist, sich bei der eigenen Firma zu versichern. Es kam ihm nicht in den Sinn, den Sprung selber zu wagen. Dazu war er zu gewitzt. Aber er wollte es wissen. Unbedingt und um jeden Preis, denn es lag ihm daran, ruhig zu sterben. Im Bewußtsein, zum richtigen Gott gebetet zu haben. Darum wiegelte er mich auf:
– Du bist fabelhaft, mein Sohn. Der jüngste Privatdozent an der Universität. Ich gratuliere dir. Doziere nur fleißig weiter. Bald wirst du außerordentlicher und in ein paar Jahren ordentlicher Professor. Deine Karriere ist gemacht. Die Ehre beispiellos für unsere Familie. Du wirst dir einen Hund kaufen. Dann ein Pferd. Zuletzt ein eigenes Haus. Heiraten wirst du selbstverständlich. Ein flachbrüstiges Fräulein, das dich vergöttern wird und weinen über ihr Glück. Die Studenten werden kommen und dir in den Hintern kriechen. Es ist eine Lust zu leben, du mußt in der Schweiz bleiben! Es ist besser, auf den Knien zu dozieren als aufrecht dazuzulernen. Du hast ausgelernt. Bleibe da!
Er hetzte virtuos, aber ich durchschaute ihn. Er hatte ein schlechtes Gewissen, weil er, der Avantgardist, noch am Leben war. Sechzig Jahre lang hatte er Wind gesät, aber keinen Sturm geerntet. Im Gegenteil. Er saß gemütlich im trockenen. Auf einer unversehrten Insel. Rund herum ging die Welt unter. Städte versanken in Schutt. Ganze Völker wurden ausradiert, aber er war gesund. Er lief den Weibern nach und erzählte Anekdoten. Ausgezeichnete Anekdoten, das muß ich zugeben. Er war der geistreichste Mann, dem ich je begegnet bin, doch riskiert hat er nichts. Er liebte Kastanien über alles und fand immer einen Dummkopf, der sie ihm aus dem

Feuer holte.
Es blieben mir noch knappe zwei Tage. Alles war ich losgeworden. Die Möbel, die Bilder und die Bücher, um im letzten Moment nicht doch noch schwach zu werden. Nur mein Fahrrad hatte ich behalten. Ein englisches Wunder Marke Raleigh, von dem ich mich auf keinen Fall trennen wollte. Es spielte eine fast magische Rolle in meinem Leben. Es war mein fliegender Teppich, mit dem ich davonfliegen konnte, wenn es irgendwo heiß wurde. Ich saß am Fenster und blickte hinunter. Zum Fluß. Er war grün und dickflüssig wie Maschinenöl. Er roch nach Algen und toten Fischen. Ein flaumiger Dunst wogte über dem Wasser. Nie war ein Herbst so bunt gewesen und so wehmütig. Theoretisch haßte ich diese Stadt. Aus weltanschaulichen Motiven. Für ihre Frömmelei, ihre Verlogenheit, ihre Habgier. Praktisch aber, in der Tiefe meines Herzens, war ich in sie verliebt. In den See, in die Schwäne, die behäbigen Häuser und tausendjährigen Plätze. Ich gedachte der Tage, die ich im Staatsarchiv verträumt, der Pergamente, die ich entsiegelt, übersetzt und analysiert hatte. Ich erinnerte mich meines Professors, der immer gehofft hatte, ich würde sein Nachfolger, aber das kam nun nicht mehr in Frage. In weniger als vierzig Stunden fuhr mein Zug. Die Würfel waren gefallen. Das heißt: ich hatte sie selber geworfen. Ich und niemand sonst war der Schmied meines Mißgeschicks. Es gab nur noch Ines, aber auch sie konnte nichts mehr ändern. Sie war ein Strohhalm. Eine Spekulation aus Wolken und Spiegelbildern. Ich wußte allerdings: wenn sie mich zurückhielte, würde ich bleiben. Das war mir klar. Aber sie war verheiratet. Sogar glücklich verheiratet, wie sie ge-

sagt haben soll, und bewohnte ein Haus, das kein vernünftiger Mensch je aufgeben würde. Sie war eine Schweizerin bis ins Rückenmark. Sie würde mich nicht zurückhalten. Sie wußte nicht einmal, daß ich sie begehrte. Innig und hoffnungslos. Ich hatte auch keinen Grund anzunehmen, daß sie mich je beachtet hatte. Oder vielleicht doch? Die Chance war mikroskopisch klein. Nie hatte sie mir eine Andeutung gemacht oder ein Zeichen gegeben. Doch, einmal vielleicht. Aber es wäre vermessen, daraus einen Schluß ziehen zu wollen. Sie hatte mir eine Schallplatte in die Hand gedrückt. Sie wußte bereits, daß ich bald abreisen würde; für immer. Sie wollte mir damit etwas mitteilen, aber was? Es handelte sich um ein Schubertquartett. Das wenig bekannte Opus 161 mit dem langsamen Satz, der schmerzt wie ein unwiderruflicher Abschied, wie ein Flehen um ein allerletztes Wiedersehen.

Die Platte lag auf meinem Fußboden. Sie ermahnte mich, hinzugehen und sie zurückzubringen. Ich blickte über die Dächer der Stadt. Ich biß mir die Fingernägel und verfluchte den Seeweg nach Indien, den ich erschließen sollte. Wozu denn? Hatte das alles einen Zweck? Da war eine innere Verwandtschaft. Kolumbus war ein Jude. Wie ich. Er segelte unter falscher Flagge. Ebenfalls wie ich. Er für die heilige Jungfrau und die christliche Königin von Kastilien. Ich für die Befreiung des Proletariats und die sozialistische Revolution. Mit einem kleinen Unterschied. Kolumbus war ein Eroberer. Ein skrupelloser Konquistador. Er wollte die Königskrone von Indien und die Hälfte aller Reichtümer, die er zusammenrauben würde. Ich hingegen wollte nichts. Ein namenloser Streiter wollte ich sein. Das behauptete ich

wenigstens. Kämpfen für ein besseres Dasein. Für die Menschheit. Nicht für mich wollte ich fahren, denn mein Leben ließ nichts zu wünschen übrig. Ich war kein Arbeiter. Vom Proletariat war ich so weit entfernt wie von den Spiralnebeln der Galaxis. Ich war ein Idealist. Ich träumte vom Paradies auf Erden. Ich sehnte mich nach dem absoluten Nullpunkt, bei dem alles neu beginnen und zum Himmel wachsen würde. Nach hingemordeten Städten und unbeugsamen Menschen. Nach dem alten Maciek zum Beispiel, von dem es im Volkslied heißt, er sei tot aus dem Grab gestiegen, um sich noch einmal vollzusaufen, noch einmal übermütig zu sein und einen letzten Tanz zu drehen mit der flachsblonden Wanda. Ich träumte von endlosen Steppen, hungernden Dörfern. Von Pferdegespannen, die über die Kirchtürme jagten. Von Büffelherden in der Wildnis von Kampinow. Von der Baba Jaga, pelzverbrämt auf rasendem Schlitten, wie sie durch Schlesien hetzte. Schwarzer Schnee auf den Feldern. Tausend Schlote. Fördertürme, Kohlenhalden und schweigende Kolonnen von Bergleuten, die zur Nachtschicht hinunterstiegen. Ein eingebildetes Heimweh quälte mich. Ein imaginärer Durst. Ich mußte hinfahren, ihn zu löschen.
Und trotzdem stellte ich mir immer wieder die gleiche Frage: wozu hatte sie mir diese Platte gegeben? Damit ich sie anhörte, höchstwahrscheinlich. Damit ich Gänsehaut bekäme. Das war doch wohl ihre Absicht, aber warum? Sie hätte mir ein Haydnquartett leihen können. Das mit der Serenade, zum Beispiel, in F-Dur, das einem süß in die Seele tropft. Das den Körper umspielt wie kühles Wasser an einem Sommertag. Ich hätte es ausgetrunken, zweifellos, und vergessen. Schubert hingegen

durchfröstelte mich wie kaltes Fieber. Wie ein scharfes Messer zersäbelte er meine Haut. Die Wände schoben sich auseinander. Ein silberner See glitzerte in der Nacht und ein Flößer ruderte hinüber. Zur Schatteninsel, von der man nicht heimkehrt. Etwas wollte sie mir sagen mit dieser Platte. Mag sein, daß ich sie zurückbringen sollte, mehr nicht, und daß sie mich wiedersehen wollte. Das war nicht ganz ausgeschlossen. Allein der Gedanke an diese Möglichkeit versetzte mich in Ekstase. Da klingelte es an meiner Wohnungstür. Es war nicht Ines, sondern der Briefträger. Mit einem Telegramm von drüben. Von meiner Mutter, die noch verrückter war als mein Vater, aber anders. Gradliniger und weniger berechnend. Sie war vorausgefahren. In einer Anwandlung von Trotz und Großmut, um etwas zu beweisen – Gott allein weiß, was sie beweisen wollte –, und so kabelte sie: »Fahrrad verkaufen stop sowjetische sind besser«. Das war die wunderlichste Depesche, die mir je zugestellt wurde. Was um Himmels willen verstand die gute Frau von solchen Dingen? Sie bordete über von Menschenliebe und weitherzigen Maximen, aber von Fahrrädern hatte sie keine Ahnung. Sie fürchtete wahrscheinlich, ein letzter Rest persönlichen Eigentums könnte meine Entschlossenheit zermürben. Ich wäre imstand und würde mich anders besinnen, woraufhin sie allein bleiben müßte. Auf der anderen Seite des großen Meridians. Sie betrieb die Taktik der verbrannten Erde. Die Flucht nach vorne. Sie wollte, daß auch ich alle Brücken abrisse hinter mir. Für sie gab es keinen Rückzug. Für mich sollte es auch keinen geben. Vielleicht hatte sie schon bemerkt, daß es keinen Zusammenhang gab zwischen unseren Idealen und der Wirklichkeit,

aber das durfte sie nicht eingestehen. Das wäre die Verneinung ihres Glaubens gewesen, und wer kann schon leben ohne Glauben? Darum beschwindelte sie mich und sich, ohne jegliche Skrupel: sowjetische Fahrräder sind besser.
Ich erwartete Ines. Ich hoffte, sie würde zu mir kommen. In meine leere Wohnung, aber sie kam nicht. Sie war eine Wasserjungfrau. Ein Phantasiegewebe. Ihre Augen blinkten wie zwei Seesterne. Sie hatte eine Porzellanstimme. Etwas scherbig, rauh. Sie sprach nicht, sie klirrte die Worte in den Raum. Ihr Gang verwirrte. Sie wiegte sich in den Hüften, als schreite sie übers Moor. Ohne Hast und Ziel. Zum Rhythmus einer unhörbaren Melodie. Manchmal lud sie Freunde zu sich und spielte Klavier. Ausgefallene Stücke, die kaum jemand kannte. Die Zuhörer waren betroffen und erinnerten sich noch lange des eigentümlichen Konzerts. Als ich einmal dort war – mit zahlreichen anderen, die ich nicht näher kannte –, spielte sie ein »Mouvement perpétuel«. Von Poulenc, wenn ich mich nicht täusche. Mittendrin hob sie den Blick von den Tasten und schaute mich an. Flüchtig. Vielverheißend. Als wenn sie mir andeuten wollte, sie übermittle jetzt eine geheime Botschaft, die nur ich verstehen konnte. Und dann, als ich mich verabschiedete, reichte sie mir jene Schallplatte. Ohne ein Wort zu sagen. Mit kurzem Augenaufschlag – wie vorher –, der bedeuten sollte, darin sei eine Mitteilung enthalten. Ein Anagramm, das ich entziffern solle. Sie führte mich zur Tür und lächelte. Das war alles. Das war der Strohhalm, an den ich mich klammerte, an den ich meine Hoffnungen knüpfte, denn die Platte war kein Geschenk. Davon war nicht die Rede gewesen. Was

meinte sie also? Daß sie auf mich wartete, möglicherweise. Um mit mir allein zu sein. Um mit mir zu sprechen, oder zu schweigen. Über das Opus 161. Über die Liebe. Vielleicht über uns. Das war die Chance meines Lebens. Mikroskopisch klein, wie ich bereits andeutete, und doch nicht ganz aussichtslos. Das war leider der Haken an der Sache.
Mein Vater pflegte zu behaupten – halb im Scherz, halb im Ernst –, sein Sohn sei ein Vollblutneurotiker. Ein Schulbeispiel aus dem Handbuch der Psychiatrie. Ein typischer Hansdampf, der immer nur will, was er nicht hat. Und hat, was er nicht will. In diesen Worten steckte ein wahrer Kern, denn seit jeher hetzt mich Rastlosigkeit durchs Labyrinth der Tage. Über Länder und Meere. Von einer Insel zur anderen. Von Circe zu Kalypso. Von Kalypso zu Nausikaa und weiter zu allen Nymphen der Unterwelt, die man ersehnt, aber nicht haben kann. Die Chance mit Ines war so winzig, daß sie nicht ins Gewicht fiel, und doch groß genug, um meine Eroberungslust zu dämpfen. Sie hätte mich abweisen müssen, um meine Energien aufzupeitschen. Statt dessen warf sie mir Blicke zu. Lächelte und lieh mir eine Platte, die ich zurückzubringen hatte. Das war nicht hoffnungslos genug. Nur das Unerreichbare reizte meine Leidenschaft. Das Unmögliche. Der Kommunismus zum Beispiel. Die Quadratur des Zirkels. Die schwarze Jungfrau von Jasna Gora. Er hat schon recht, mein Vater. Ich bin ein Vollblutneurotiker. Einerseits sage ich, daß ich dableibe, wenn Ines mich zurückhält. Andererseits hoffe ich, sie möge mich nicht zurückhalten, weil ich Träume nicht mag, die sich verwirklichen. Ein Schulbeispiel aus dem Handbuch der Psychiatrie.

Und was würde aus uns werden, wenn ich dabliebe? Zuerst heiraten. Dann eine Wohnung. Ein gemeinsames Schlafzimmer. Aufgewickeltes Haar und schiefgetretene Pantoffeln. Unzählige Tage, die sich gleichen würden wie die Füße eines Tausendfüßlers.
Es war Zeit, dieses Land zu verlassen. Nicht wegen des Landes, sondern meinetwegen. Hier würde ich verblöden vor lauter Unentschlossenheit. Mein Geist mußte seicht werden und in höchstem Maße unscharf. Man darf nicht die Konturen verwischen zwischen ja und nein. Ich hatte mich entschieden. Alles aufgeben und fahren! Aussteigen, würde man heute sagen. Aber meine Mutter verlangte zuviel von mir. Mein Fahrrad sollte ich verkaufen. Meine verchromte Freiheit. Mein Fluchtzeug, mit dem ich jederzeit das Weite suchen konnte. Wie Pizier, mein Freund aus Paris, Professor an der Sorbonne, der seit Jahrzehnten in einem Wohnwagen haust. Auf einem Campingplatz. Er war Kriegsgefangener gewesen. Bei den Deutschen. Vierzigmal ist er ihnen durchgebrannt. Vierzigmal haben sie ihn geschnappt. Das einundvierzigste Mal ist es ihm gelungen, unter Lebensgefahr. Und jetzt wohnt er auf Rädern, um jederzeit bereit zu sein.
Auch ich bin ein Pizier, der es nicht aushält an einem Ort. Ich brauche Räder, um bereit zu sein. Diesen Besitz konnte und wollte ich nicht aufgeben. Ich war zwar ein Feind allen Eigentums. Ich behauptete sogar, Eigentum sei Diebstahl, aber das Fahrrad mußte ich behalten. Soviel war mir auch der Kommunismus nicht wert. Ich bin mehr Jude als Held, und ein Jude ist fluchtbereit. Seit zweitausend Jahren.
Am Nachmittag hielt ich die letzte Vorlesung. Ich nahm

Abschied von den Studenten und besonders von den Studentinnen, die noch hingebungsvoller an meinen Lippen hingen als gewöhnlich. Es war der Höhepunkt meiner Lehrtätigkeit. Ich sprach über die Einführung von Stallfütterung und Naturdünger im vorrevolutionären Frankreich. Mein Vater saß unter den Zuhörern. In der hintersten Reihe. Gleich neben der Tür, und da er sich stets in die Unterlippe biß, zitterte ich, er könnte aufstehen und aus dem Saal laufen. Er tat es nicht, was mich mit Dankbarkeit erfüllte. Meine »Abtrittsvorlesung« – so nannte sie mein Vater – war ein Volltreffer. Ein Bombenerfolg, von dem man noch lange sprechen sollte. Nicht enden wollender Applaus quittierte meine Ausführungen. Mein Herz wurde schwer und schwerer. Alle die Glückwünsche, all das aufrichtige Händeschütteln machten das Scheiden fast unerträglich. Zuletzt gelang es mir doch noch, durch einen Nebenausgang zu verschwinden und in den Park zu eilen. Dort saß er auf einem Bänklein und rauchte. Etwas manisch, schien mir, und er kaute immer noch an seiner Unterlippe. Ich brannte auf sein Urteil. Ich hoffte, daß er mich loben würde. Wenigstens dies einzige Mal. Nie bisher hatte er ein gutes Wort gefunden für meine Arbeit. Nie war er zu meinen Vorlesungen gekommen. Meine Forschung ließ ihn gleichgültig, aber heute wollte er dabei sein. Er wußte auch warum. Als ich ihn fragte, wie er mich gefunden habe, antwortete er mit zweideutigem Grinsen:

– Gut habe ich dich gefunden, danke. Ich habe auch lange gesucht.

– Was du von meinem Vortrag denkst, möchte ich wissen.

– Daß er unheimlich dringend war. Lebenswichtig, würde ich sagen.
– Inwiefern? erkundigte ich mich weiter und spürte, daß er eine Niedertracht im Schild führte.
– Die Stallfütterung im vorrevolutionären Frankreich. Großartig! Die Einführung von Kuhdreck als eigentliche Ursache der großen Umwälzung. Ist das nicht entzückend? Seit meiner Kindheit habe ich davon geträumt, so etwas zu hören. Ich bin stolz auf meinen Sohn. Das ist der schönste Tag meines Lebens.
– Warum kannst du nicht ernst sein, Vater?
– Ernst? Ich bin noch nie so ernst gewesen wie heute. Die Welt liegt in Ruinen. Fünfzig Millionen Leichen verfaulen auf den Schlachtfeldern des Krieges, und du beschäftigst dich mit den Auswirkungen von animalischem Mist auf die Weltgeschichte. Deine Sorgen möchte ich haben. Ein Königreich für deine Sorgen.
Er hatte ja recht. Ich hätte ein brisanteres Thema wählen können, um mich von den Studenten zu verabschieden, aber so unausstehlich mußte er nun auch nicht sein. Mit welchem Recht machte er sich lustig über mich? Auch er stand nicht am Steuerrad der proletarischen Bewegung. Was war er schon? Ein Neurologe. Ein Nervenarzt der klassischen Schule. Mit Elektroschocks und Insulinspritzen gegen Schizophrenie. Mit Gewalt brach er den Willen seiner Patienten. Das war sein Beitrag zur Weltrevolution.
Mit seinem Sarkasmus erreichte er das, was er unbedingt vermeiden wollte. Er weckte meinen Argwohn. Er ging mir auf die Nerven. Sein Wunsch mich loszuwerden schien mir unnatürlich. Er beabsichtigte zweifellos, mich zu festigen mit seiner Demagogie. Statt dessen

suchte ich fieberhaft nach Argumenten, um dazubleiben. Es fiel mir nichts ein. Ich hatte alles verquantet oder verschenkt. Ich besaß nichts mehr. Auch keinen eigentlichen Wohnsitz. Nicht einmal einen Menschen, der versucht hätte, mich zurückzuhalten. Ines am allerwenigsten.
Sie hatte mir zugezwinkert. Das ist wahr; doch kein persönliches Wort. Da gab es zwar das Rätsel mit der Schallplatte. Das Opus 161. Wer aber stellt für ein Streichquartett seine Lebenspläne auf den Kopf? Es war mir klar, daß von Ines nichts zu erwarten war. Ich würde hingehn, zurückgeben, was sie mir geliehen hatte, und mich bedanken. Mit Artigkeiten, wie man das eben macht. Einige Klugheiten würden mir einfallen. Über die ungewöhnliche Stimmführung, über die kontrapunktischen Feinheiten, über die Vieldeutigkeit der Harmonien und fertig. Die Episode ist abgeschlossen. Da gibt es keinen Grund, zurückzubuchstabieren. Ich mußte fahren, ob es mir gefiel oder nicht. Ich war der Gefangene meiner Courage. Ich konnte nicht mehr anders. Ich mußte ein Held sein. Dabei wuchs in mir die Beklommenheit. Ein drückendes Vorgefühl des Dornenwegs, dem ich entgegenging und nicht mehr ausweichen konnte.
Meine Feinde machten sich ein Vergnügen daraus, mich zu warnen: ins Arbeitslager werde man mich sperren, sobald ich ankäme. Mich foltern, lahmprügeln, an die Wand stellen als bürgerlichen Intellektuellen, als verdächtige Person aus der Schweiz, als westlichen Spion. Ich ließ mich nicht einschüchtern, denn ich kannte ihre Mentalität. Kleinmütig waren sie und borniert. Sie glaubten höchstens an ihren Bauch. An das Gesetz der

Trägheit. An den Sumpf, in dem sie selbstgefällig versanken. Ärger war es mit meinen Freunden. Mit den Genossen, die mir zu meiner Kühnheit gratulierten. Sechsunddreißig Stunden vor meiner Abreise. Sie schämten sich nicht einmal, ihre Bedenken zu äußern. Es sei schon ein tolles Unterfangen, gleich alles auf eine Karte zu setzen. Der Weg ins Paradies sei bekanntlich eine Einbahnstraße. Man kenne keinen, der zurückgekommen wäre. Die rote Tony, zum Beispiel. Sie sei unter sonderbaren Umständen umgekommen. Im Gefängnis, soviel man wisse. Es heißt auch, man habe sie totgeschlagen. Obwohl sie schwanger war. Im achten Monat. Aber man weiß ja nie, wer sie wirklich war. Sie hatte klare, blaue Augen. Ein liebenswertes Geschöpf, schien es, aber richtig gekannt habe sie niemand. Vielleicht hatte sie etwas auf dem Kerbholz, und wir wußten es nicht. Wenn sie ganz astrein gewesen wäre, hätte man ihr gewiß kein Haar gekrümmt. Dort sind doch Genossen am Ruder. Erprobte Kommunisten wie du und ich. Die würden sich doch nicht an unschuldigen Menschen vergehen, oder? Mach dir keine Sorgen, Kamerad! Wenn dein Hemd sauber ist, kann dir nichts passieren. Leb wohl, wenn wir uns nicht mehr sehen sollten. Und schreibe, wenn es dir möglich ist!

Wozu hatte ich herumgeschwatzt? Warum konnte ich nicht mein Maul halten? Andere umgeben sich mit Schweigen. Sie lächeln undurchsichtig, wenn man sie befragt. Sie lassen sich alle Hintertürchen offen und tun schließlich, was ihnen am günstigsten erscheint. Ich kann das nicht. Ich schütze mich vor meiner eigenen Feigheit, indem ich die Brücken hinter mir abreiße. Das habe ich von meiner Mutter. Wir verbauen uns bewußt alle Fluchtwege, und als einziger Ausweg bleibt der Angriff. Ich bin die vollkommene Kreuzung zwischen meinen Eltern. Eine unbesonnene Frau auf der einen Seite. Und ein Schönredner, von dem man sagte, er sei ein Sonntagskommunist, auf der anderen. Es war die väterliche Erbmasse, die mir einflüsterte, das Fahrrad zu behalten. Für alle Fälle! Aber es war ein lächerlicher Selbstbetrug. Dort drüben hilft auch kein Markenvelo englischer Fabrikation. Von dort kehrt man nicht zurück.

Was meine Mutter bewogen hat, den Schmerzenspfad nach Osten einzuschlagen, werde ich nie verstehen. Einleuchtende Motive hatte sie nicht. In der Partei war sie nie gewesen. Mit Marx und Lenin wußte sie wenig anzufangen. In der Schweiz war es ihr gutgegangen. Sie erfreute sich hohen Ansehens. Man bewunderte ihren Charme, ihre berufliche Kompetenz und die Würde, mit der sie ihre Probleme bewältigte. Ihre Gründe lagen tiefer. In der Beziehung zu meinem Vater, nehme ich an, der ihr jahrzehntelang das Leben verdarb. Da er ein schuldgeplagter Jude war, unzufrieden mit sich selbst und von tausend Ängsten gemartert, suchte er bei ihr die Ursache seiner Mißerfolge. Sie sei ein Weichtier, pflegte er zu sagen. Sentimental und überspannt. Unfähig zu harten Entschlüssen. Ohne intellektuelle Disziplin und ausgesprochen prinzipienlos. Sie sei es, die ihn zu schlaffer Tatenlosigkeit nötige, zu biederer Häuslichkeit. Er nörgelte so lang, bis sie eines Tages die Koffer packte und hinüberreiste. In die neue Welt, von der mein Vater nur immer zu schwärmen wußte. Sie fuhr in den gewaltigsten Trümmerhaufen des Jahrhunderts, der bei den einen Hoffnung erregte; bei den anderen Schrecken. Sie wollte demonstrieren, stelle ich mir vor, daß sie sehr wohl zum großen Abenteuer taugte, obwohl sie nicht danach aussah. Als sie drüben ankam, schrieb sie eine Postkarte, die Befremden und Kopfschütteln verursachte: »Herzliche Grüße aus dem einundzwanzigsten Jahrhundert.«

Dieser Satz war noch haarsträubender als der von den sowjetischen Fahrrädern. Sie wußte genau, daß sie log, aber sie wollte etwas erreichen. Mich herüberlocken wollte sie und traf ins Schwarze, denn ich schämte mich, auf der Stelle zu treten, in der Vergangenheit zu verkommen, während meine fast sechzigjährige Mutter bereits die Zukunft erprobte. Auch ich mußte mich auf die Zeitmaschine schwingen und davonsausen ins einundzwanzigste Jahrhundert. Die Zukunft faszinierte mich. Mehr als die Vergangenheit, obwohl ich Historiker war von Beruf. Sie beseelte mich zu verwegenen Taten. Trotz dem dunklen Punkt, der meine letzten Stunden vergiftete: die rote Tony.

Ich war ein Anhänger der marxistischen Geschichtstheorie. Von der spiralförmigen Entwicklung der menschlichen Gesellschaft. Vom unvermeidlichen Aufstieg zu immer höheren Strukturen des sozialen Zusammenlebens. Aber das Schicksal der roten Tony deutete aufs Gegenteil. Es war ein Rückfall um ein halbes Jahrtausend. Ich hatte sie doch gekannt. Sie war von entwaffnender Reinheit. Für sie war unsere Partei ein Vortrupp der Nächstenliebe. Sie praktizierte ein Leben von urchristlicher Zärtlichkeit und erbarmte sich ihrer Feinde. Mag sein, daß es gerade das war, was man ihr nicht verzeihen konnte. Man lehrte uns ja, daß die Welt geteilt sei. In zwei Lager. Unversöhnliche Bastionen, und es gebe keine Gnade im Klassenkampf. Keine Nachgiebigkeit, sonst gehen wir unter! Das war einfach, um nicht zu sagen einfältig, aber es beruhigte das Gewissen. Auch meines, obschon ich hätte wissen müssen, wie trügerisch solche Gleichungen sind. Es war aber eine Lebensnotwendigkeit für mich, die Ereignisse so zurechtzubiegen, daß die Theorie intakt blieb. Lieber die Tatsachen leugnen als die Glaubenssätze! Darum redete ich mir ein, die rote Tony müsse sich verirrt haben. Sie sei wohl abgeglitten auf zwielichtige Positionen. Wenn das so war, dachte ich, verdiente sie ihr Schicksal, und die Doktrin von der Aufwärtsentwicklung war gerettet. Sofern sie stimmte, natürlich. Und wenn sie nicht stimmte? Was dann? Was würde mit mir passieren? Jetzt war ich an der Reihe. Auch mir konnte es an den Kragen gehn. Auch mir konnte man etwas ankreiden. Etwas würden sie schon finden. Meine bürgerliche Herkunft, zum Beispiel. Alle die Zweifel, die an mir nagten. Westliche Vorurteile von Rechtsstaatlichkeit und Demokratie. Liberale Hemmungen, wenn es nötig wurde zuzuschlagen und den Widerstand des Gegners zu zermalmen. Außerdem meine Tendenz, Fragen zu stellen. Beweise zu verlangen. Zu zögern mit abschließenden Urteilen. Ich mußte als ein Bazillus bezeichnet werden. Ein Krankheitserreger im Organismus der Revolution. Wenn es für die rote Tony keinen Platz gab im kommunistischen Paradies, dann war ich dort untragbar. Es war nicht auszudenken, was meiner dort wartete. Mein Schicksal war besiegelt. Meine Feinde würden sich ins Fäustchen lachen und sagen, sie hätten mich gewarnt. Keinen Finger würden sie rühren für mich. Im Gegenteil. Und die Genossen? Sie würden den gleichen Me-

chanismus einschalten, der auch bei mir so tadellos funktioniert hatte: dort sind doch Freunde an der Macht, und sie wissen, was sie tun.
Der Morgen dämmerte. Noch vierundzwanzig Stunden in der Schweiz. Am darauffolgenden Tag mußte ich fahren. Ich hatte auf dem Fußboden geschlafen. Die Betten waren weg. Ich erwachte mit blauen Flecken am Körper und in Schweiß gebadet. Der Kopf hämmerte. Ich wußte, daß ich mich auf ein selbstmörderisches Abenteuer einließ. Aber bleiben konnte ich nicht. Ich hätte mich so ungeheuer lächerlich gemacht, daß niemand dagewesen wäre, mir je wieder zu vertrauen. Die Linken hätten mich zum Renegaten erklärt, die Rechten, die Ewiggestrigen, zur Wetterfahne. Ich wäre eingeklemmt geblieben. Zwischen Stuhl und Bank. Es blieb wirklich nur der Strohhalm. Die aussichtslose, winzig kleine Hoffnung, Ines könnte mich zurückrufen. Sie stand jenseits der Bastionen. War weder Freund noch Feind. Einfach eine Frau, die ich begehrte. Für eine Frau darf man den Verstand verlieren. Wenigstens diesseits des Eisernen Vorhangs. Man würde munkeln, ich sei ein Schürzenjäger, ein triebhafter Erotoman. Witze würde man reißen über mich und despektierliche Bemerkungen. Aber zu guter Letzt stand ich da als ein Mann. Das war die ideale Lösung. Ein Held ist gut. Ein Mann ist besser.
Den ganzen Morgen irrte ich ziellos durch die Stadt. Um Abschied zu nehmen. Es war schon kühl. Eine bleiche Herbstsonne verklärte die Straßen. Ich hatte keine Lust zu essen. Zu nervös war ich. Zu zerrissen. Gegen Mittag fuhr ich aufs Land hinaus. Mit dem Fahrrad, von dem ich so viel erzählt habe. Ein letzter Versuch zu flüchten.

Vor mir selbst, höchstwahrscheinlich. Es duftete nach Tau. Nach feuchtem Laub und gelben Birnen. Die Schatten wurden länger. Ich kehrte nach Hause zurück. Nach Hause? In meine vier Wände, besser gesagt. Weiße Vierecke an den Tapeten, Beweise, daß da einmal Bilder hingen. Schöne Bilder von Slodky und Aberdam. Weggeschenkt hatte ich sie. Verraten. Eine Hälfte meines Lebens. Auf dem Boden lag die Platte. Ich nahm sie unter den Arm und ging hin. Zum Tode verurteilt. Mit einem Gnadengesuch an die Königin. Mein letzter Nachmittag.
Sie war ein Unwetter, das Bäume ausreißt und Mauern zum Einsturz bringt. Sie jubelte und jauchzte. Sie weinte und wimmerte. Sie biß mich in den Hals. Sie sog mich aus und krallte sich in meine Schenkel. Sie war unersättlich in ihrem Hunger nach Leidenschaft, nach Raserei und immer wiederkehrender Ekstase.
Das alles geschah wie im Traum. Sie habe mich erwartet, sagte sie. Sie war bereit, obwohl wir uns nicht verabredet hatten. Sie hatte gewußt, daß ich kommen würde. An jenem Nachmittag. Zu jener Stunde. Kaum betrat ich die Wohnung – ihr Mann war verreist und konnte vor dem Abend nicht zurück sein –, stürzten wir ineinander, als hätten wir diesem Augenblick entgegengefiebert. Seit Monaten und Jahren. Sie trug ein gelbseidenes Hemd. Sonst nichts, und der Sesam öffnete sich. Glitzerte und funkelte. Alle Schätze Arabiens boten sich dar, alle Edelsteine der Liebe und süßen Wollust ...
Wenn ich heute daran zurückdenke, stehe ich vor einem Rätsel. Nicht vor meinem, allerdings. Mein Wahnsinn ist begreiflich. Er flackerte empor aus der Lebenslust eines Verzweifelten, der noch einmal untertauchen

wollte im Strudel des Genusses. Ein Lebewohl ans Leben. Ines glaubte, das Feuer gelte ihr allein. Ihrer engelhaften Schönheit, ihrem marmornen Körper, ihrem duftenden Wesen. Sie wußte nicht, daß sie mein Strohhalm war. Sie konnte nicht ahnen, daß mein Schicksal in ihren Händen ruhte. Ich sagte es bereits. Ein Wort von ihr, und alles wäre anders gekommen. Aber nicht von mir will ich reden. Wie kam es, daß sie das Wunder vollbrachte? Solche Wunder ereignen sich nur ein einziges Mal im Leben. Es kommt der Tag, wo jeder Mensch seine Kräfte zusammenströmen läßt, alle Sehnsucht und Lust irgendwo zwischen Herz und Hüfte. So war es bei Ines, an jenem Nachmittag. Nur frage ich mich, was für eine Rolle meine Person, mein Körper, meine Seele spielten in ihrer Sternstunde. Warum war ich es, der in ihr jenes Erdbeben auslöste? Sie kannte mich ja kaum. Sie wußte auch nicht um die Hoffnungen, die ich mit ihr verknüpfte. Ich finde nur eine Erklärung: das Opus 161. Sie hatte gehört, daß mein Abschied unwiderruflich sei. Daß in ihm kein Morgen schimmerte, keine Zukunft. Keine Aussicht auf Rückkehr. Im Normalfall ist die Vereinigung von zwei Körpern nur der Bruchteil einer Liebesgeschichte. Eine Anzahlung, könnte man sagen. Hier war es nicht der Bruchteil, sondern alles. Die ganze Liebesgeschichte in einer Umarmung. Nicht der Anfang, sondern das Ende. Eine Henkersmahlzeit. Der letzte Kuß unter dem Galgen. Das war es wahrscheinlich, was unserem Glück die traurige Süße verlieh. Was uns beflügelte und aufpeitschte zu immer neuer Wonne.
Und trotzdem. Es bleibt ein Stachel in meiner Erinnerung. Warum hielt sie mich nicht zurück? War sie

phantasielos? Oder kleinmütig? Was hätte es sie gekostet, sich an mich zu klammern und zu flehen, ich müsse bleiben, sie wolle nicht mehr leben ohne mich und ähnlichen Unsinn, den man vor sich hinlallt, wenn man glücklich ist. Wir lagen erschöpft nebeneinander. Warum sprach sie nicht das eine Wort? Wovor hatte sie Angst? Vor mir? Vor meiner Vollblutneurose? Vor ihrem Mann? Dem Verlust ihrer Sicherheit? Oder war sie eine Königin der Nacht, die ein einziges Mal erblüht? Einige Stunden eines Herbsttags? Vielleicht fürchtete sie die Wiederholung. Ganz einfach. Sie ahnte, daß unsere Liebe nur dann unvergeßlich bliebe, wenn sie ein Punkt war im Raum. Ohne Dimensionen. Unmeßbar.
Am nächsten Morgen verließ ich die Schweiz. Ich war der Flößer, der hinüberrudert. Zur Schatteninsel, von der man nicht zurückkehrt, und wenn man zurückkehrt, ist man nicht mehr derselbe. Der Zug rollte durch vertraute Landschaften. Durch Orte, deren Namen ich mir fest einprägte. Als Meilensteine meines Heimwehs, das mich bald packen mußte. Als Reisegepäck waren zwei Koffer dabei und das Fahrrad, mein geliebtes Fluchtzeug für alle Fälle.
An der Grenze sagte ein Zollbeamter: »Leben Sie wohl!«, und es stieg mir etwas in den Hals, was man landläufig als Tränen bezeichnet.

André Kaminski
Die Gärten
des Mulay Abdallah

Neun wahre Geschichten
aus Afrika
st 930, 150 Seiten, DM 8,–

»Daß André Kaminski etwas von Theater versteht, ist klar: Er ist Dramaturg beim Schweizer Fernsehen und hat im Verlauf seines Lebens 36 Theater- und Fernsehstücke verfaßt. Daß dieser André Kaminski überdies ein blendender Geschichtenerzähler ist, werden inskünftig alle diejenigen wissen, die seine ›Neun wahren Geschichten aus Afrika‹ lesen ...
Jede dieser Geschichten handelt in der einen oder andern Form vom Einbruch des Irrationalen in westlich-rationale Denkgewohnheit oder vom Sieg des Herzens über den Verstand. Diese Erfahrungen müssen Kaminski tief geprägt haben. Das geht bis in die Art und Weise, wie er diese Geschichten erzählt: so lebendig, so spontan, so leidenschaftlich ...«

Die Weltwoche

»... mindestens eine von ihnen [diesen Geschichten] hätte es verdient, in die Schullesebücher aufgenommen zu werden. Sie lehren, was es heißt, Europäer zu sein.«

Frankfurter Allgemeine Zeitung

»Wer zu denen gehört, die den humorvollen, geistreichen Erzähler sich selber mündlich überliefern gehört haben, wußte, daß daraus über kurz oder lang ein Buch werden mußte. Spannend zu lesen, wie die Reminiszenzen übers Anekdotische hinausgewachsen sind zu kleinen literarischen Kunstwerken.«

Tele Journal

Alphabetisches Gesamtverzeichnis der suhrkamp taschenbücher

1/1/6.84

1/2/6.84

1/3/6.84

1/4/6.84

1/5/6.84

1/6/6.84

1/7/6.84

1/8/6.84

1/9/6.84

1/10/6.84

1/11/6.84

1/12/6.84

1/13/6.84